Seadove

Seadove

Seadove

一個人賺的錢，
12.5%來自知識，87.5%則是來自於關係

前言

美國的富翁幾乎都相信，他們成功，首要的一條，就是坦誠地對待所有人。他們也都認可，幾乎在大學時代，就學會了對人的準確判斷——自然，這也是跟做人有關的。

——摘自《百萬富翁的智慧》

在以一千公尺論速度的時代。
你意識到人脈競爭力的重要性了嗎？
你的人脈競爭力有多強？
你現在多大了？
在你的人生存摺中，除了金錢、知識，還有多少人脈？
未來，你打算怎樣讓這個存摺變成資料庫？

一個人賺的錢，
12.5%來自知識，
87.5%則是來自於關係。

嗯……

很另類的問題？從沒想過。

但是，可能你正在傷心，十年寒窗苦終於熬完了，有了一份可以養家糊口的職業。然而，朝九晚五的生活，忙忙碌碌的奔波，一年到頭，存摺上依然是可憐的四位數。難道是天生的勞碌命？也許你真的應該抱怨和悲傷——生來沒有富爸爸。既沒有顯赫的背景，又沒有幸運的娶到富家女或嫁入豪門。那麼，你是不是就失去了成功的機會呢？絕對不是，只要你擁有足夠的智商，就可以抓住改變命運的第三個機會——積累人脈存摺！

你相信嗎？朋友決定你的富貴命。一個鄉下窮小子利用人脈存摺可以創造億萬身價。也許你沒聽說過，甚至也不太相信這些。胡雪巖，曹啟泰，知道吧！看看人家成功背後的故事，聽聽凡人致富的經歷，我們將為您揭示人脈的秘密。

不管你相不相信，人脈是古往今來大商巨賈，顯赫權貴的絕對智慧和秘密武器。三十歲以前靠專業賺錢，三十歲以後靠人脈賺錢，說的就是這個道理。所以，從現在起，打造一把你的人生金鑰匙——人脈，扭轉你的命運。有了這把鑰匙，你也可以完成從常人到億萬資產的主人翁的轉變，當然可以成為兒子的富爸爸！

人脈，簡言之，就是如何做人。我們總是聽到這樣的叮囑，先做人後做事。不會做人的人，就不會有大事可做。做事是一種技巧，做人則是一種德性，然而，技巧易學，德性難修。學技巧靠的是聰明，學德性則靠的是悟性。本書要告訴你的就是做人的德性以及致富的訣竅，教給你如何編織一張高能量的人脈關係網。在你的人生存摺上，再存上一筆絕對不可少的、豐厚的財富！

目錄

一個人賺的錢，
12.5%來自知識，
87.5%則是來自於關係。

第二章 貴人在哪裡

朋友、富貴、天長地久。這是一個「Team work」的流行時代，能夠創造機會的人都是懂得如何利用人際交流技巧的智者！貴人不是有義務照顧我們的保姆，也不會坐在人生的某個十字路口等待我們，我們必須有個主動的態度去尋求貴人而不是苦苦等待，並且適時選擇，變換貴人。

第一節

第二節

一個人賺的錢，
12.5%來自知識，
87.5%則是來自於關係。

第三章 同船過渡，五百年修

二十一世紀，是一個靠組織力成功的時代，過去單槍匹馬的「英雄獨行」策略，已經成為一種神話和笑話。朋友，就是人脈和事業組織的基層。懂得活用朋友的資源，就等於擁有千軍萬馬的兵力。然而，「友」能載舟也能覆舟，要懂得活用你所討厭的「損友」和「惡友」，你才能輕輕鬆鬆靠朋友邁向成功。

人脈存摺

Social Account Book

第一章

知識是蛋，人脈就是雞

你不可以選擇出身，也不可以選擇財富，但你可以選擇成功的道路。

一個人賺的錢，
12.5%來自知識，
87.5%則是來自於關係。

上帝創造了我們，我們則應該創造另外一個自己，創造屬於自己的前途，自己的風格，創造自己惟一的成功！

這是一個崇拜成功、需要成功的年代，成功靠的是自己，自己靠什麼？知識、金錢、背景、機會……也許這一切你都沒有，但是你可以打造一把叩開財富大門的金鑰匙——人脈。它可以為你創造這些看似沒有的東西，如果機遇、知識、背景是蛋，人脈就是雞。

第一節　千金難買是人脈

> 成功，不在於你知道什麼或做什麼，而在於你認識誰。
>
> ——流行好萊塢

「人脈是一門人生的大學問，很重要」，「Salomon Smith Barney」財務顧問公司董事長杜英宗如是說。

《數位週刊》的一份最新調查顯示，華人百大新經濟領袖就整體而言，除了「高學歷」、「具國際經驗」外，也具有「跨區域影響力」的特質。其影響力主要是來自彼此合作、聯盟建立的人脈；人脈越廣，影響力也越大。

卡耐基人際關係訓練指出，培訓的目的不是專業知識而是人際能力，強調人脈是一個人通往財富的入門票。

知識是利刃，人脈是武器

有一句歌詞唱得好，「千金難買是朋友，朋友多了路好走」。還有一句類似的俗語「在家靠父母，出門靠朋友」，說的都是人脈。人脈就是人際關係網，就是你結交的好人緣，就是你在需要時，可以毫不猶豫開口求助的那些人。這是一個「Team work」的年代，誰都不可能成為魯濱遜那樣的孤膽英雄，而應該是站在巨人肩膀上的英雄。

人力資源管理的專家說，過去，企業招募人才時，專業知識、學習能力是首要條件，但漸漸的，在知識經濟時代，由於技術、知識迅速更新，光靠一個人的力量無法完成任務。一個人只有懂得培養人脈網路支援體系，才能強化他的個人競爭力。

在金融界的創新指標——花旗銀行（City bank）裏，這個由許多「第一名」聚集而成的金字塔組織，五十五歲的程耀輝、曹中仁兩人，是企業金融處最年輕的副處長暨副總裁，也是高層刻意培養的接班人。他們兩人，一個主管電子中、下游產業的客戶關係，另一個主管電子上游產業客戶關係，平日往來的對象都是各大電子業的老闆與財務長們。一位花旗銀行資深主管評論道：論聰明、論專業，大家都是一時之選，但是，他們的人脈競爭力卻高人一籌。對內，可以服眾；對外，則可以取得客戶的信任，這是他們出線的原因。

五十歲的淩航科技董事長許仁旭，也是一個靠人脈競爭力打天下的例子。從彰化縣鹿港小鎮隻身到竹科闖蕩，許仁旭沒有顯赫的學歷與家世背景，但是，外界估計他目前的身價接近數億元，並身兼十幾家科技公司董事長。問他成功的秘訣，他說，就是靠朋友。朋友越聚越多，機會也越來越多。很多的機會當初自己沒想過，也沒看到。這些，都是機緣。許仁旭口中的「機緣」，在朋友眼中，其實是由重義氣累積而來的。

日本近二十年來惟一連續名列「世界富豪排行榜」前一百名左右的大亨糸山英太郎白手起家，憑自己的能力，三十歲即擁有幾十億元資產，經營十八家公司，三十二歲投身政治，成為日本歷史上最年輕的參議員。除了具備在金錢、股票、政治及黑白兩道中打滾的精彩人生經驗外，他也坦誠地表示，我能夠成為一個成功的

企業家、政治家以及投資家，是因為我擁有幫助我、支持我的廣大人脈。只靠個人的力量，我不可能達到今天這個地步。

他說，帶我踏入財經界的關鍵人物，就是前富士銀行的總經理岩佐凱實。當年我促銷別墅公寓，引進長期購屋貸款時，也獲得他鼎力協助。我能與財經界維持廣闊的溝通管道，全拜岩佐之賜。我從政的恩師，則是田中角榮。雖然我是中曾根康弘的秘書，但田中還是很照顧我，他就是那種胸襟開闊，敢於重用敵對派系人才的人物。我從他身上學到，即使對方是敵對陣營的人，還是要以識人的心態與他交往。

糸山英太郎強調，對於有些初次見面，或者是見過兩三次面的人，我就能感受到他是「能幫助我，具有我沒有的特質，能夠教我許多事情的人」，我會非常珍惜與他們之間的緣分。當然，我不只是利用別人，我不會忘記讓別人好好利用我，充分展現施與受的精神。當我遇到可能對自己有幫助的人時，我會想辦法讓他記得我，等到建立起能夠直接通電話的交情時，他就變成我的人脈。

專業與人脈競爭力是一個相乘的關係，如果光有專業，沒有人脈，個人競爭力

就是一分耕耘，一分收穫。但若加上人脈，個人競爭力將是「一分耕耘，數倍收穫」。

現在因為銷售經理或主管跳槽，引發客戶資源流失的訴訟案件呈逐步上升趨勢，企業也更加注意這方面的利益。**高薪挖牆腳，挖的就是對方的人脈資源！**

人脈創造機遇

雖說是金子就會閃光，但那也需要有人能看見光。現實中不乏這樣的人，相貌堂堂，胸懷大志，才華滿腹，既有學歷，又有超人的工作能力。然而，他們卻始終鬱鬱不得志，甚至是別人眼中的失敗者和負面教材。於是燙金的文憑，豐富的經歷可能成了累贅——沒有這一切也不過如此嘛！真的是「命苦」嗎？當然不是，千里馬還需要伯樂呢！

美國老牌影星寇克・道格拉斯年輕時十分落魄潦倒，沒有人，包括許多知名大導演認為他會成為明星。但是，有一回寇克搭火車時，與旁邊的一位女士攀談起來，沒想到這一聊，聊出了他人生的轉捩點。沒過幾天，寇克被邀請到製片廠報

到。原來，這位女士是位知名製片人。這個故事不正說明了，即使寇克・道格拉斯的本質是一匹千里馬，也要遇到伯樂，一切才能美夢成真。

不光千里馬需要伯樂，劣馬也需要伯樂。也許你覺得張三論資質、論人品各個方面都和自己不相上下，甚至有些地方還不如自己，為什麼他可以有那樣的機會而自己沒有呢？為什麼？因為有人賞識他！為什麼賞識的偏偏是他呢？因為伯樂根本就不知道你是誰。這不就是答案嗎，張三比你有人脈！

二〇〇二年百大財富榜上三十位左右的企業家最看重的十大財富品質中，「機遇」排在第二位，而在ＭＢＡ學員眼中則是十大決定財富因素的首選。「機遇」的另一個說法是「關係」，因為人脈關係越好，機遇相對就越多。目前興起的ＭＢＡ熱潮就是一個佐證，讀書不僅為了「充電」，更為了搭建更好的人脈關係並從中尋找商機。即使是哈佛商學院的畢業生，在總結讀書的收穫時，也把「建立朋友網路」放在第一位。

人脈在ＭＢＡ學習中已提到一個相當重要的高度。哈佛商學院的一位教授總結說，哈佛為其畢業生提供了兩大工具：首先是對全局的綜合分析判斷能力；其次是

哈佛強大的、遍佈全球的、四萬多名的校友網路，在各國、各行業都能提供寶貴的商業資訊和相互支援。哈佛校友影響之大，實非言語能形容，全校有一種超越科學界限的特殊團體精神。哈佛商學院建院九十二年來，有超過六萬名校友，這些校友多半已是各行業的精英，在團結精神凝聚下，織成了一張強固的人脈網路。對於後者，幾位在中國創業的哈佛MBA學員體會最深。他們在沒有其他背景的情況下，靠的就是哈佛MBA這塊金色敲門磚，因為在華爾街，在幾大風險投資基金中，對哈佛MBA學員來說，找到校友，就是找到了信任。

人脈延伸你的能力

有什麼辦法呢，我可能天生就比較笨，所以只能這樣勞碌奔波，擠公車上班，坐捷運回家，然後到菜市場買菜，為了一塊兩塊和老闆斤兩計較。我也想住洋房開汽車，但我真的很笨，沒辦法只能這樣。天下真有笨的賺不到錢的人嗎，如果有，起碼也得讓那個倒楣蛋不是你！如果你真的覺得自己笨，跟《射雕英雄傳》裏的郭靖比比。

都說郭靖是個笨人，但是他成了天下人人佩服的大英雄。看看靖哥哥周圍的人，不成功，怎麼可能？郭靖的師傅不下十位，既有以俠義自稱的江南七怪，擅長內功心法的馬鈺道長，又有武功蓋世的洪老幫主，童心未泯的周伯通，更不用說聰明過人的奇女子蓉兒，等等。正是這「多元化」的師資組合，站在頂尖人物的肩膀上，「笨」得像木頭一樣的郭靖終成一代大俠。郭靖雖然腦子反應比較慢，但他深深懂得，獨腿走不了千里路，要真正在江湖上闖出一條路來，必須兼收並蓄，集眾家之長。因此，他用心地、真誠地「學」出了自己的人際網路。

查理斯・華特爾，屬於紐約市一家大銀行，奉命寫一篇有關某公司的機密報告。他知道某一個人擁有他非常需要的資料。於是，華特爾先生去見那個人，他是一家大工業公司的董事長。當華特爾先生被迎進董事長的辦公室時，一個年輕的婦人從門邊探出頭來，告訴董事長，她這天沒有什麼郵票可給他。「我在為我那十二歲的兒子搜集郵票，」董事長對華特爾解釋。

華特爾先生說明他的來意，開始提出問題。董事長的說法含糊、概括、模棱兩可。他不想把心裏的話說出來，無論怎樣好言相勸都沒有效果。這次見面的時間很短，沒有實際效果。「坦白說，我當時不知道怎麼辦，」華特爾先生說，「接著，我想起他的秘書對他說的話——郵票，十二歲的兒子……我也想起我們銀行的國外部門搜集郵票的事——從來自世界各地的信件上取下來的郵票。」

第二天早上，我再去找他，傳話進去，我有一些郵票要送給他的孩子。結果，他滿臉帶著笑意，客氣得很。「我的喬治將會喜歡這些。」他不停地說，一面撫弄著那些郵票。「瞧這張！這是一張無價之寶。」我們花了一個小時談論郵票，瞧他兒子的照片，然後他又花了一個多小時，把我所想要知道的資料全都告訴我——我甚至都沒提議他那麼做。他把他所知道的，全都告訴了我，然後叫他的部屬進來，問他們一些問題。他還打電話給他的一些同行，把一些事實、數字、報告和信件，全部告訴我。用很短的時間，查理斯・華特爾就巧妙而成功地打造了一條關係網，同時也完美的解決了他的問題，可見人脈對一個人的成功是何等重要。

人脈就是資源

募捐的人常說：「有錢的出錢，沒錢的出力」，還有「以工代賑」之類的

話。這些話說明了一個道理，人就是資源。在你剛剛開始準備開辦自己的企業時，你可能沒有錢、沒有設備、沒有技術。不要緊，只要你擁有掌握這些資源的人就行了。

人脈對現代人而言，似乎成了成功與否的最大關鍵，因為誰也無法預知自己的下一步會怎樣。工作上的協助，生活中的資助，團隊間的互助，就連最簡單的買菜，也若有似無地瞧出一個人的「關係」好壞！

有人二十塊錢只能買一把菜，偏偏就有人能二十塊錢買一把菜還外帶一堆蔥薑蒜，或許有人會說那只是貪小便宜，也對；但是請仔細思考，便宜人人想貪，但是能得到便宜的就不是人人能做得到！

某些正人君子會認為只要自己行得正，坐得端，一切按照規定，哪裡會需要靠任何關係？原則上沒錯，但在取得支持的角度而言，經常會讓自己挨悶棍，中冷箭；換句話說，自恃才華過人，但人緣奇差無比，行事作風缺乏協調性，平日又很少與人交往，這就擺明了要讓自己與世隔絕的心態，既然如此，「局外人」又憑什麼伸出援手呢？

「生時靠人帶，死時靠人拜」，人際關係的重要再簡單不過如此。中國人注重「人情關係」，如果能以情感性的人情維繫人際關係，必然會出現人生中最豐沛的資源！

美國二十世紀六〇年代末期一位心理學家曾經談論到，世界上任何二個人最多透過六個中間人即可串聯出這二人的相互關係。只要在關鍵時刻找到關鍵人，事情就成功了一半。

相信以下的對話各位一定不陌生，A說：「最近想買一台電腦，可是我也不太懂要買什麼等級的，市面上種類又多，真不知要從何下手。」於是B說：「我有一個朋友家裏在賣電腦，他自己對電腦也很熟悉，要不要我幫你介紹認識？也許可以給你一些建議。」A回答：「那真是太好了！這樣我就不用擔心買到不合適的電腦了。」各位一定都有以上類似的經驗，會發現周圍的朋友有些是同學或者同事，有些則是直接通過朋友的介紹而變成朋友，如此一來，認識的人越來越多，人際網就越來越綿密了，因情感作用而相互幫忙、關心及支援就越多，有助於解決生活上發生的難題。

一個人賺的錢，
12.5%來自知識，
87.5%則是來自於關係。

個人如此，那麼一個數百人甚至數千人的企業裏又如何呢？嚴密的人際網路資訊是企業珍貴寶藏。以業務單位而言，業務員需要不斷去開發及創造新的銷售機會，當然除了公司本身服務及產品品質良好以外，也需要透過人際網的幫助，以挖掘新的開創業績機會，且當銷售過程中遇上困難時，也可以尋找到合適的人請求協助，這就是不可忽視的強大資源——人際網絡。

第二節　人脈的職場效應

> 不善交際的人只是一個人，善交際的人卻等於兩個人。
>
> ——戴爾・卡耐基

為瞭解人際能力對一個人的成功所扮演的角色，哈佛大學就曾經針對貝爾實驗室（Bell Lab）的頂尖研究員做過調查。結果發現，大家認同的傑出人才，強勢往往不是專業能力，關鍵卻在於——「頂尖人才會採用不同的人際策略，這些人會多花時間與那些在關鍵時刻可能有幫助的人，培養良好的關係，在面臨問題或危機時便容易化險為夷。」

哈佛學者的分析揭示了一位表現平平的人遇到棘手的問題時，會努力去請教專家，結果往往是因為苦苦等候卻沒有回音，茫然浪費許多時間。那些工作卓越的人卻很少碰到這種苦候無音的結果，原來他們在平時還用不到專家的時候，就已經非

常注意和專家建立密切的聯繫，進而擁有強大的資源網，一旦有事請教，便能立刻得到答案。這份研究報告還指出，人脈資源網路具有很大的彈性，每次溝通都為這個複雜的資源網多織一條線，日子一久，只要你不停地在這個網上增加一根根線，它就會漸漸地形成牢不可破的網絡。

溝通人際，成就事業

人際交往關係就是一張網，其間的資訊傳遞與人腦內部的資訊傳遞非常類似。腦部的A點受到外界刺激會產生信號，傳至B點而引發某種想法，如果只靠A－B一條路線傳遞，一旦這條線路由於某種原因受到阻斷，資訊傳遞就不再繼續，這樣的資訊鏈必定十分脆弱。所以，在我們的大腦中，兩點之間的資訊通路有成千上萬條，不論是大自然賜給我們人類的福祉，還是我們在漫長的物競天擇中，進化來的必需的生存能力，總之，正是由於無數的資訊通路，我們才得以實現偉大的夢想。如果誰能編織一張這樣的人際交流網路，我想可以被稱做「超人」。

你也許正需要一份新工作、一棟新房子、一份有潛力的投資建議、提升你的專

業技能，你可以去找專業人士諮詢，但你得為此付出金錢代價，相信只要稍有生活體驗的人都會覺得從人際網中免費獲得，是最快速、最安全的建議。人脈不僅是你日常生活的潤滑劑，也更是你事業成功的催化劑。

歐洲的一家跨國公司和義大利的一家採礦公司成立了大型合資公司，合資公司經理「Jack」接管工作的時候，公司正處於非常困難的時刻。義大利的採礦公司內部醜聞不斷，並且正面臨著一場嚴重的財務危機，以至於差點由銀行出面接管。合作的另一方，則剛剛更換了最高主管。義大利的採礦公司曾向歐洲的公司許諾，將在歐洲進行長期投資，但如今由於自己資金吃緊，竟然出爾反爾。合資公司於是陷入騎虎難下的困境：雙方都不願讓步，合資項目停滯不前，合資雙方的關係嚴重惡化。現在對新上任的合資公司經理「Jack」來說真是一場空前的考驗和挑戰。而且「Jack」的前任「Le Van Vn」，是一個行銷專家，並在石油的零售方面有很強的專業能力，但由於缺乏對人際關係的理解和駕馭，只重生意，根本應付不了這些突然的變化。這對「Jack」是一個很好的教訓。

「Jack」是個英國人，生於南非，長在印度，曾做過美洲某大型跨國公司的

財務經理，擁有讓人羨慕的資歷。在上任之前，他是該跨國聯盟公司在亞洲的負責人。他的背景和經歷使得他在公司的財務方面站穩了腳跟。他曾在東亞某個政局不穩、市場多變的小國家，從事市場行銷工作，這不僅使他的能力得以充分的施展，而且為他提供了絕佳的鍛鍊才能有積累經驗的機會。他對大量不同的文化和知識兼收並蓄，遊歷過很多地方，掌握多種語言。這些經歷使得他在人際關係溝通方面具備了超群的技能。

正是由於他能夠在非常廣泛的層面上與對方的母公司、自己的母公司和合資公司溝通和交流，並獲得對方的信任，進而可以參與更廣的戰略規劃和具體執行。「Jack」能夠主動接觸別人，積極結識其他公司的職員，自己活躍在某個專業領域，並從中獲益。在合資公司內，他與組織的上級、同級、下屬都保持良好的人際關係。因此在公司內外建立起良好的人際關係網。憑藉良好的人際關係網，即使新官上任，他也能很容易獲取需要的資訊和幫助。在這個國際合資企業中，「Jack」具備最重要的素質之一就是國際應變能力，瞭解在不同的文化背景中的社交禮儀，能夠對所接收到的資訊做出正確反應，進而拉近彼此的文化差距。因此它具備了遊

刃有餘的交流功夫。比如，他的談話風格會隨著談話夥伴的背景而變化。說起西班牙或拉丁文化時，他會感情奔放並活靈活現，雙眼閃閃發亮，面部表情非常豐富。而當他和日本同行交流時，很少直視對方，話語中多了幾分嫻靜，表現得相當沈默。正是由於超人的溝通力，「Jack」構建起自己的人際網，進而帶領合資公司走出了困境，並日漸興旺。

人際溝通對一個合資企業的經理來說，確實是最重要品質。「Corning」公司和「Asahi Glass」公司也曾經共同組建了一個合資企業。「Decker」來自於「Corning」公司，「Kurata」來自於「Asahi Glass」公司。兩人認識的時間超過了三十年，彼此是生意場上的朋友。他們共同經歷了生意場上的起起落落。在「Decker」去世後，「Kurata」第一次到美國時，在機場的第一個要求就是去看「Decker」。他在墓邊停留了二十分鐘，用日語對「Decker」說話，「Corning」的經理們很快就意識到，他不僅僅是致悼詞，而是在和「Decker」親切交談，告知「Decker」在他去世後發生的事情。儘管Decker已成故人，但兩家公司間的聯盟依然穩固如初。

把一個快樂告訴一個朋友，你將得到兩個快樂；把憂愁向一個朋友傾吐，你將失去一半憂愁。

善於開口詢問

「客棧裏沒有房間了！請問你是否能推薦附近一個有馬槽的穀倉？」這個記載耶穌誕生的故事，是否聽起來還熟悉？

早自聖經時期，大家便依賴熟人來獲取所需的資訊。就是利用這個方法，我們找到孩子的夏令營、汽車修理廠、牙醫、好吃的餐館，以及其他無數生活中所需的用品與服務。電話簿雖是個不錯的資源，但你會利用它來找一個整容外科醫師嗎？

借著熟人的介紹或口耳相傳的方式來取得所需的資訊，是一種既省時又事半功倍的方法。打從夏娃在伊甸園裏把蘋果給了亞當，我們便一直在重複著交換意見與分享資源。這是人類有史以來，世界運轉的基本原理，即使到現代社會也不例外。

建立人際網路是一個互相交換想法、做法與建議的互惠過程，這個過程使我們的事業與生活都受益無窮。而其中尤其可貴的是與人分享的精神，這份誠意使得交換的過程遠超出資訊本身的價值。你如果仔細觀察那些圓通的公關專家們，便可以從他們在「給與」時所流露的真誠喜悅中，感受到這份精神。

累積交際經驗

人際關係網不僅和終身事業息息相關，也與私人友誼關係密切。羅安在一次職業演說家大會上遇見堪薩斯州立大學的米勒博士，後來便常常保持聯絡。當他的朋友艾米科搬到舊金山時，米勒打電話給羅安，請羅安多加關照，而羅安也照辦了。於是，羅安又多交了一位新朋友。

你也一定有過類似的經驗，在偶然的機會裏認識了一位又一位的朋友。如果你停下來好好想想，也許這些朋友中，有不少都是因為你能成功地與人交往，因而產生了的友誼呢！

成功地打入人群後，有一個獨特且不尋常的收穫：你可以建立一個「人際關

係網」，也就是所謂的人脈。若能如此，你便和百萬富翁有了共同點。喬治亞州立大學的史坦利教授為他的新書《行銷致富》，針對二千位億萬大富豪做了一項研究，結果發現：大規模的人際關係網是這些億萬富翁的一個共同特點。史坦利同時指出，這些億萬富翁都有不尋常的能力，可以辨別所認識的人當中，哪些人具有特別的「價值」。他們並不只是搜集名片，更重要的，他們能辨認哪些人能夠並且願意幫助他們；他們知道該與哪些人交往，才可收相互提攜之效——譬如彼此交換資訊，甚至合夥做生意等。但是，如果我們不能像這些億萬富翁一樣，把這個「人際關係網」當做是人力、創意和忠告的來源，這個好東西也是一無用處。

巧織成功關係網

成功在很大程度上取決於你擁有多大的權力和影響力，與恰當的人建立穩固關係對此至為關鍵。在打造關係網的過程中，已經認識的人很重要。你目前的聯絡網是鋪造你未來關係網的原料。他們都有自己的熟人，而他們所熟識的人又有自己的熟人。

成功建立關係網的關鍵是和適當的人建立穩固的關係。良好的人際關係能拓寬你生活的視野，讓你瞭解周圍所發生的一切，並提高你傾聽和交流的能力。

良好、穩固、有力的人際關係的核心必須由十個左右你能靠得住的人組成。這首選的十人可以包括你的朋友、家庭成員和那些在你職業生涯中彼此聯繫緊密的人。他們構成你的影響力內圈，因為他們能讓你發揮所長，而且彼此都希望對方成功。這裏不存在勾心鬥角的威脅，他們不會在背後說你壞話，並且會從心底為你著想。你與他們的相處會愉快而融洽。

當雙方建立了穩固關係時，彼此會激發出強大的能量。他們會激發對方的創造力，使彼此的靈感達到至美境界。為什麼將你的影響力內圈人數限定為十人呢？因為強有力的關係需要你一個月至少維護一次，所以十人或許已用盡你所能有的時間。

不要忘記「媒人」

人際可以藉由熟識者介紹認識他人的方式，不斷地獲得擴展。所以，雖然你可

以開口請人介紹認識他人，但此時必須遵守一定的規矩。

最令人感到落寞的情形是，儘管你從自己的人際關係中，將重要的人物介紹給別人，對方在事後卻沒有向你提起下文。如果是連同自己在內三人一起碰面則另當別論，但是如果你將聯絡方式告訴對方，並且親自打電話告知另一方，倘若對方不來告知雙方會談結果，你甚至不知道雙方是否順利會過面。對於居中的介紹人而言，這是十分難堪的處境。

如果順利會見過對方，由於你所介紹的對象特意抽出時間來會見你推薦的人，你最起碼都應打一個電話向對方致謝。下回遇見對方時，應主動說：「由於你的介紹，某某曾來找我。」倘若讓對方先說了，你將立場盡失。

既然居中介紹雙方認識，你這一方自然負有責任。如果你不知詳細結果，未能妥善地做好後續照應，將無從知道是否為對方帶來困擾。如果事情演變成給對方困擾，連你的信用也將盡失無遺。

如此一來，下回你想再介紹別人認識此人時，你一定無法向對方提出這項要求。只因為最初介紹過不合適的人，連後來你所介紹的人都可能遭另眼看待。

為了避免產生這種情形，一旦別人為你介紹某人時，你務必向介紹人提出詳細報告。首先，你是否約妥會面時間。如果答案為肯定，何時可以見到對方？實際會見後，你和對方談論過什麼？下一步將展開怎樣的交往方式。你們之間是否達成合作協議？如果答案為否定，原因何在呢？

由於介紹人對於情況的變遷惦記在心，所以即使你詳細提出報告，對方也絕對不會感到囉唆。就算是芝麻小事，只要情況出現變化，對方也希望你能儘早聯絡。

在接獲當事人報告之前，自己所介紹的對象先向介紹人發出抱怨是最難堪的情形。

此外，儘管介紹人答應介紹並告知聯絡方法，有些人卻毫無理由地未與對方聯絡。如果真希望通過別人介紹認識某人，迫不及待地渴望見到對方才是認真的態度。如果態度拖拖拉拉，不免令人擔心是否應該為其居中介紹。站在介紹人的立場，一旦告知對方聯絡方式，總希望對方能展現出當場就想打電話般的熱忱。

多聯絡

「多聯絡」是創造優質人際關係的不二法門。當您的人際運作順暢，許多問

題便迎刃而解，不論什麼領域，人脈的廣度是必要條件，而深度則視情況而定。

工作中的人際拓展與維持，簡單地說就是四個字「攀親帶故」，盡可能地運用倍增法則，從既有的人際網路中創造新的人際面，舉個最簡單的例子：您認識A客戶，找個機會作東，請A客戶約幾個朋友出來聚聚，您就有機會自A的人脈中發展出B、C、D、E……至於如何維繫交情，當然是「八仙過海，各顯神通」啦！

生活中的人際又另當別論，必須有所篩選與過濾，從聚會中拓展人際是必然的，但朋友群的屬性必須稍作協調，以免互不沾邊，攪得聚會場面尷尬不已！

其實在人際關係的維繫與持續上，最重要的觀念應該是「互利互重」。所謂互利是誰也不要存有占人便宜的心態，適度地花點錢送份小禮或聚餐打打牙祭，關鍵在於別讓自己永遠都是不掏錢的鐵公雞；而互重則是尊重身邊每一個不起眼的小角色，請千萬記住，風水輪流轉，今天結下的小善緣，將會是明日的救命仙丹！

> 人生最愚蠢的事情之一就是，「忙」得沒工夫聯繫朋友。

傳遞口信增加人際網絡

當你和擁有同一位熟人的某人談話時，經常會在分別之際說，「那麼，請代我向某某先生問好。」雖然這幾乎只是替代招呼語性質的措辭而已，會如此照實傳話的人少之又少。然而，自己的事情在別的場合受到誇讚時，任誰都會感到心情愉快。因此，「某某向你問好」，抑或「你果真表現不俗呀！我從某某那兒聽說了。」你最好能將聽到的誇讚傳遞給對方。

由這種方式，你可以確認自己不在場時，朋友們曾經討論過你的事情。而自己能夠成為朋友們的話題，也是自己的人際網路完整地發揮著機能的證據。

換言之，根據從共同熟人那兒獲知傳遞而來的口信，你可以確定自己的人際網路已經變得十分緊密。因此，你不應該只將受託的口信完整地傳遞給對方，你不妨主動問對方，「您是否也有話想轉告給某某？」由於彼此都是熟人，應該或多或少都有希望告知另一方的資訊。

由這種積極傳遞口信的方式，兩位友人可以由你的媒介進行溝通。即使未直接

碰面也仍可加深彼此關係。所以說，人際絕不可以獨佔，務必不斷地介紹朋友們結識彼此。如此一來，你必定可以建立起無論利用那條線路，情報均可傳遞至整體的人際網路，和腦部同樣，人際也可以藉由增加的網絡獲得活性化。

資訊就是力量

時代改變了，不論你在教室、會議室、工作站或實驗室裏，記得打電話給同學、同事或朋友們，互相交換意見、想法，甚至認識一下彼此的朋友，都是很實際的做法。

在蒙薩多化學公司服務的席柯羅博士，就強烈支持建立個人通訊網絡的做法。「如果同事之間因為沒有內部通訊系統而導致彼此缺乏溝通，許多研究計畫都可能因為重複而憑白浪費掉。」

具備溝通與建立人際網路的能力可以增進經營成果。發明「戴克公開演說法」的戴克就曾說：「溝通是一種接觸運動。」

敞開胸懷打入人群，並與人分享資訊，是個人變贏的圓滿狀況。

認識的人愈多，獲得資訊的過程也愈快。

全面的人際關係網路對我們的工作與事業大有助益。

讓我們看一則洗髮精的廣告：「我告訴了兩個人，他們又告訴了另外兩個人……」接下來的螢幕便是數不盡的女性，個個擁有漂亮而乾淨的秀髮。

與人溝通、分享資源並建立人際關係網路，不僅使我們有能力管理自己的生活，更讓我們能充分享受生活並應付其中的變化。在決定選擇這條路之前，仔細評估建立人際網路的好處。潛在的好處之一便是常說的「資訊就是力量」，我們因此有東西可以與人分享。一方面，我們通過公司的通知、報告與自己所做的研究獲得「正式」的資訊。另一方面，通過同事、朋友間的閒聊與謠言的散播所獲得的非正式情報，也是同等的重要。

得罪一人就等於得罪一百人

對於人際關係的作用缺乏自覺的人，即使因為自己的處理不當造成別人的困擾時，也會出人意外地滿不在乎。他們所抱持的想法是，即使和這位得罪的對象今後

不再有共事機會，仍有其他工作機會，因此拿出抱歉分手的態度。

然而，因為這一聲抱歉而失去的，並非只是你所得罪的對象一人而已。由於無論任何性質的公司都是隸屬某一業界的一分子，因此你必須考慮到被你得罪的對象，有可能在業界內大肆渲染。如此一來，你有可能同時失去一百人的信賴。

比方說，當你向人委託某項工作後，卻因為安排上的失誤，在最後關頭決定停止那項工作，並以一張傳真告知對方。由於對方為了那項工作大費心思、調動自己的計畫表以期全力配合，接獲通知自然感到不悅。對方肯定心想下回絕不再與此人合作共事。這並不是純粹因為生氣而產生的偏差，而是因為擔心這種情形再度出現。

如果被得罪的人只是不想和對方再度合作，對於對方而言，可能構成不了重大損失。然而，如果此人在業界內傳開此事時，結果又將如何呢？對方當然未考慮到此點，在時時意識著人際關係作用的人們看來，「本次的結果令人遺憾」，想以一張傳真草率收場的做法，簡直令人難以置信。

如果是考慮轉行，不打算永遠待在本行的人或許情有可原。然而，如果自己打算在眼前所在的行業裏大展宏圖時，一個失誤即有可能扼殺你在那個業界裏的生機。而且，就算你正在考慮進軍別的行業，也不能如此草率行事。這也和基本生活方式的問題密切相關，向來習慣以一句抱歉草率收拾殘局的人，無論在哪個行業裏都無法待久。

重要的是，在失誤發生後的照應方式。在業界內流動的並不是只有負面評語而已。良好的評語也同樣地會口耳相傳流散出去。只要切實做好失誤的照應，你認真處理善後的評語也會不斷傳播出去。

第三節　你的燈亮嗎

人脈是一盞燈，人生的山窮水盡處，指引給你柳暗花明的又一村繁華。

看看你的燈亮不亮：

在現今功利至上的社會，你如何與朋友相處？

在如今離婚率居高不下的數字裏，你看到了人們相處的貧乏與漏洞了嗎？

創造完美的人生，就從處理好你的人際關係開始……

你愛交朋友嗎？朋友在你的生命中佔有什麼樣的地位？

現在請您閉上眼睛思考一個問題：如果立即要您想出十組電話號碼，並且每一組電話若撥過去，對方是否都會開心地與你暢聊。答案若肯定，那您算是具有相當不錯的人際關係！

很多人會有一種很可悲的現象，當他寂寞或無聊的時刻，卻望著電話遲遲想不

出該撥給誰？更直接地說吧，在生活中根本就快沒有朋友了！

所以，趕快把人脈之燈點得越亮越好。

人脈──成功者的必要條件

找一張空白紙，畫一個表，然後把你所能想得到的利與弊都填進去，這樣可以幫你決定在建立人際網路的過程中，你願意投注多少心力。

「想打通人脈，你必須勤下功夫。」這是蘋果電腦人力資源部資深副總裁蘇利文，在面對六百位員工的會議上所提出的忠告。「下功夫」在《韋氏大字典》五十三個定義裏的其中之一是：「致力於製造或完成某事」，這個定義正支持了蘇利文的論點。的確，建立人際網路需要下功夫，但所得的收穫也是無法計算的。

根據蒙薩多化學公司副總裁威廉斯的說法，「經理人成功與否有一半在於其是否有好的人際關係。這裏所指的不是馬路消息靈通，強調重點在於經理人是否能在公司內外，建立起更高層次的共識。」

現今社會已少有摔不破的鐵飯碗；倒是遭遣散、轉業或者面臨中年危機的例

子，屢見不鮮。在我們的本行或本行以外建立起交際圈，有時的確可提供一些緩和作用，因為你永遠不知道在什麼情況下，你會換工作或轉行。

有時，我們的名片簿可能不是為自己而準備，而是為引見朋友、親戚或同事。你可能經由認識的人幫了他們一個大忙，也趁機還了一份人情。對大多數人而言，這通常可說是最好的情況，當朋友或曾幫助過我們的人由於我們的一個電話而得到幫忙時，除了令人感覺舒服之外，我們也的確覺得自己做了一件好事！

有許多人他們不曾，也不打算認真地與人打交道。當被問及原因時，得到答案往往是：「如果不成功怎麼辦？」如果你不嘗試，自然沒有風險，而最終你也得不到任何收穫。

克力格與帕德勤在所合著的《如果不破產，就繼續攻！》一書中曾強調：「不願承擔風險其實是最大的危險。冒險是必然，想要穩賺不賠才是最危險而不足取的想法。」

而如果我們推想某人擔任某項職務，結果卻沒成功時，那該怎麼做呢？羅安的做法是既然已經做了，只好說聲抱歉。因為，不成功的原因可能有千百種，而且沒

有一樣是我們所能控制的。既是如此，下次如果有人再找羅安推薦人時，羅安仍會義不容辭！

腦力激盪收穫多

在建立人際網路的過程中，有另一層面或許更有價值，那就是集思廣益以解決問題的腦力激盪會。有些人在非正式的場合進行腦力激盪，有些人則召集所謂的「智囊團」。正式的智囊團組織以頗具歷史的史丹佛大學胡佛研究所最為著名，成立的目的在於分析並解決美國國內外政治、社會與經濟各方面的問題。美國的ＩＭＥ電路通訊公司的史比瓦克有一次談到他的經驗時便曾說道：「我們所成立的商業聯盟小組，最大的好處便在於腦力激盪。我曾經和一位客戶有過一些問題，由於這個小組的建設性意見，不僅客戶的問題獲得解決，公司的收入也相對增加。」

腦力激盪不僅收穫多，也可以在各式各樣的商業場合進行，如：大型研討會、圓桌會議、小型會客室、工作小組會議中等，如果我們相信「三個臭皮匠，勝過一個諸葛亮」，那麼十個臭皮匠，一定可以讓你在商業競爭中捷足先登。

一個人賺的錢，
12.5%來自知識，
87.5%則是來自於關係。

只要有人群聚集，就可以進行腦力激盪，你或許曾與朋友、家人、鄰居與同事們，在晚餐、郊遊、健身房或球賽前和他們非正式地交換意見。人緣好的人通常也是熱心的腦力激盪者，他們樂於與人交換想法，更隨時不忘提供點子。腦力激盪下所產生的智慧火花，往往最令人振奮。

《如何工作養家又能活得自在》一書的作者麥道格女士曾說：「不管面對工作、事業與生活，我們都應把腦力激盪視為該做的事。這樣可以讓我們以較認真的態度建立人際關係網路，並用心做好每一個步驟直到任務完成。」麥道格女士也強調，由於生活的多面性，「生命中除了那些只看得到我們上班領薪水的人之外，應該要有能支持我們的人圍繞在身邊。」

出外靠朋友

億萬富翁共有的特點是什麼？根據《行銷致富》一書作者史坦利的說法，「答案是一本厚厚的名片簿。更重要的是他們廣結人際網路的能力，這或許便是他們成功的主因。」億萬富翁們不僅曉得有誰被蘊藏在他們厚厚的名片簿裏，更願

意把這些資源與其他億萬富翁分享。

要有成功的人際關係，你不僅須用基本常識去「感受」，更要有極大的行動力去「執行」！

「人際網路背後的意義，其實比一般人所能想得到的都還深遠。」這是魏斯能為他即將出版的書《不上，則下》，訪問了二八〇位企業總裁後所發表的感想。他說：「那些企業總裁們，非常致力於發展『雙贏』互需關係的基礎。雖然每個人都有他們如何步步高升到金字塔頂端的精彩故事，但大多數人把他們的成功歸功於身旁人的提拔。」

根據美國作家柯達的說法：「人際網路非一日所成，它是數十年來累積的成果。如果你到了四十歲還沒有建立起應有的人際關係，麻煩可就大了。」

美國前總統柯林頓是這方面最好的典範。在他成功參選的過程中，擁有高知名度的朋友們扮演著舉足輕重的角色。這些朋友包括他小時候在熱泉市的玩伴、年輕時在喬治亞大學與耶魯法學院的同學，及日後當羅德學者時的舊識等。當演說家羅安數年前應邀在阿肯色州熱泉市為旅遊業年會演講時，才深刻地體會到這些人對柯

林頓總統的支持。

種瓜得瓜，種豆得豆

不願意也不能與旁人建立關係的人，是超級的佔便宜者，他們不能提供給別人任何幫助。有時他們雖表現得像是很願意幫忙，可以和你分享資源與想法，但事實卻非如此。

樂於助人者會被接納，而佔便宜者早晚會遭排擠。當一個好的公關專家也意味著必須有遠見，看得到未來的大方向而不致目光如豆。許多時候，我們幫助別人並不因為任何理由，也不要求立即回報。「怎麼去就怎麼回來」，這是待人接物千古不變的道理。

我相信你聽過這個小男孩的故事，他出於一時的氣憤對他的母親喊道他恨她。然後，也許是害怕懲罰，他就跑出房屋，走到山邊，並對山谷喊道：「我恨你，我恨你，我恨你。」山谷傳來回音：「我恨你，我恨你，我恨你」。一個小孩有點吃驚，他跑回屋裏對他母親說，山谷裏有個卑鄙的小孩說他恨他。他母親把他帶

回山邊，並要他喊：「我愛你，我愛你」。一位小孩照他母親說的做了，而這次他卻發現，有一個很好的小孩在山谷裏說：「我愛你，我愛你」。

生命就像是一種回聲，你送出去什麼，它就送回什麼，你播種什麼就收穫什麼，你給予什麼就會得到什麼。別人有的好事，你也會有。不論你是誰，也不論你在做什麼，如果你尋找最好的方法，以便在人生各方面得到最好的收穫，那麼你就應該在對待每一個人和每一種情況時，尋找良好的一面，並且把它當做金科玉律，奉行不悖。

服務於瑪鹿亞公司的蒙塞瑞特三世便把道德視為建立人際網路的一部分。他說：「從小所受的教育便教我們要尊重別人，因此我一直秉持這樣的態度待人。交朋友不是變戲法或耍花招，只要你善待別人，大多數時候別人也會以同樣方式回報你。」尊重別人，即是溝通的基石。建立、維持並培養一個不斷成長、交疊且流暢的交際圈，你必須同時著重方式與內容。就像《大趨勢》作者奈思比在書中所言：「以往的人際網路只由優秀人才結集而成，現在則是平等主義者的天下。因為，資訊本身就是最好的平衡機制。」

常聯繫，多走動

經常有很多做市場的年輕人抱怨客戶越來越少，市場越做越小，更多的是一些既不做業務也不跑市場的朋友則抱怨生活鬱悶，總覺得缺少什麼！

其實現代人在物質上什麼都不缺，缺的就是一層人際關係。或許有人會說，人際關係又不能發我薪水，人際關係又不管飯吃，人際關係又無法幫我解決情感問題，人際關係又……人際關係乍聽起來華而不實，好像沒半點用處，非也！

舉個例子，如果您認為薪水待遇不優，工作特別無聊枯燥，感覺鬱悶，萌發了跳槽的衝動，殊不知現在的經濟形勢，你的處境已經很不錯了！試著找過去的同事、朋友或同學多聯絡，多聊聊，消極一點說，搞不好您的待遇還略勝他們一籌咧！若往積極面思考，說不定某位至友的公司正缺人，您不就上了嗎！總之，你再也不會那麼衝動，盲目做出將來會後悔的決定，甚至你會逐漸發覺工作似乎變得有意思了，你也不再鬱悶了。重點是要「多聯絡」！

保持聯絡是成功建立關係網絡的關鍵。紐約時報記者問美國前總統柯林頓，他

是如何保持自己的政治關係網的。柯林頓回答道：「每天晚上睡覺前，我會在一張卡片上列出我當天聯繫過的每一個人，注明重要細節、時間、會晤地點和其他一些相關資訊，然後添加到秘書為我建立的關係網資料庫中。這些年來朋友們幫了我不少。」

要與關係網絡中的每個人保持積極聯繫，惟一的方式就是創造性地運用你的日程表。記下那些對你的關係特別重要的日子，比如生日或周年慶祝等。打電話給他們，至少給他們寄張卡讓他們知道你心中想著他們。

現在請思考一下你的人脈，「能夠為自己兩肋插刀的朋友」有幾個呢？所謂「真正的人脈」，應該是當你遇到困難時，無論拜託他任何事，都能立即對你有所回應的人。獨自一人也許可以完成許多事情，但有了良好的人脈，卻能「花一分苦勞，做十分工作」。因此，年輕時期不要只是汲汲於追求金錢，更要投資於「人」的身上。不管是誰，都想要加強人際關係，也會為此不斷努力。但是並不是每個人都可以做得很好，有時甚至努力也沒有辦法變成好的關係，反而會惡化。因為人脈無法擴張，而憂鬱的人並不在少數。

一個人賺的錢，
12.5%來自知識，
87.5%則是來自於關係。

人際關係是人終此一生無法擺脫的關係，也是影響人一生的關係；人際關係良好的人會覺得與人相交是一件快樂的事，充滿自信，也因此對生命懷有期待。

人們平日的煩惱，有百分之八十都是來自於人際關係。仔細回想在什麼樣的情況下，你曾經感到憤怒、悲傷、疑惑、不安？其實絕大部分都和親人、朋友、戀人、上司或同事有關。因此人們常說：「心的煩惱來自人際關係」。事實上，只要運用一些小技巧，稍微改變一下說話的方式或態度，便能完全改善你的人際關係。這不是妥協，也不是認輸，更不會給你帶來任何損失。改善人際關係，完全是為了讓你能得到更多的「利好」。好的人際關係能為我們帶來兩樣寶物，一樣是工作上的快樂，而另一樣則是能為你帶來幸福快樂的人生，而這兩樣寶物，其實你可以一次就把它們都抓進手裏。

您的燈亮嗎——測試您的人脈

測測你的交友能力

請根據您自己的實際情況，認真考慮下面的問題，從備選答案中選出最符合的一項。

一、在聚會場合，對從來沒見過的新面孔，我總是：

A．能找到話題與他們交流並成為朋友。(3)

B．儘管也想和他們成為朋友，但很難找到有效的途徑。(2)

C．一個人獨處，不會注意他們。(1)

二、我結交朋友的目的是：

A．朋友能使我的生活更豐富多彩。(3)

B．朋友們喜歡和我在一起。(1)

C．朋友能幫助我解決問題。(2)

三、你和朋友持續交往的時間一般會有多久：

A．一般會很久，交往頻率也會比較高。(3)

B．一般較短。(1)

C．根據現實情況，不斷棄舊更新。(2)

四、你對曾幫助過你的朋友總是：

Ａ．感激時時銘記在心，並時常向別的朋友提及此事。⑵

Ｂ．認為朋友間互相幫助是理所當然的，不必客氣。⑶

Ｃ．時過境遷，就拋在腦後。⑴

五、當我遇到困難的事情時：

Ａ．知道情況的朋友，幾乎都曾幫助過我。⑶

Ｂ．只有很知己的朋友幫助我。

Ｃ．幾乎沒有人幫我。⑴

六、你和那些性格、生活方式非常不同的人相處的時候：

Ａ．適應比較慢。⑵

Ｂ．幾乎很難或不能適應。⑴

Ｃ．能很快適應。⑶

七、對異性朋友、同事，我：

Ａ．只是在十分必要的情況下才會去接近他們。⑵

Ｂ．幾乎和他們沒交往。⑴

C．同他們正常交往。⑶

八、對朋友、同事們的勸告、批評，我總是：

A．有選擇地接受一部分。⑵

B．根本聽不進去。⑴

C．很樂意接受。⑶

九、對待朋友，我喜歡：

A．只讚揚他們的優點。⑵

B．只批評他們的缺點。⑴

C．既要讚揚他的優點，也要指出不足或批評他們的缺點。⑶

十、在我工作很忙、情緒不好的時候，朋友請我幫忙，我會：

A．找個合理的藉口推辭。⑵

B．斷然拒絕。⑴

C．盡力而為。⑶

十一、編織自己的人際關係網時，目標會鎖定：

A．上司、有權力的人。⑴

B·任何我認為的好人。(2)

C·與自己有相同生活價值觀的人。(3)

十二、遇到困難的時候，我會：

A·向來不求助於人。(1)

B·只是確實無能為力時，才請朋友幫助。(3)

C·立刻向朋友求援。(2)

十三、結交朋友的途徑一般是：

A·通過現有朋友介紹。(2)

B·在各種社交場合和活動中接觸。(3)

C·只是經過較長時間相處瞭解而結交。(1)

十四、如果朋友做了一件使你不愉快或傷心的事，你會：

A·以牙還牙，回敬一下。(1)

B·寬容，原諒。(3)

C·敬而遠之。(2)

十五、你對朋友們的隱私總是：

A．很感興趣，熱心傳播。(1)
B．從不關心此類事情，即使瞭解也不告訴旁人。(3)
C．偶爾感興趣，會傳播。(2)

如果你的得分在：
三十～四五分之間，你具備很好的交友能力，繼續努力。
一五～三十分之間，你的交友能力一般，但具備交際潛力，要繼續努力。
一五分以下，你應該注意加強自己的人際溝通能力。

小測驗——你是人際關係高手嗎？

無論你自認在人際關係這個領域上堪稱「新秀」或「老手」，多少還是會有改進的餘地。通過以下這詳細的測驗，你將清楚地得知自己在人際關係的學理、應用技巧，以及態度的認知上分別可以有多少分。如果你已經相當進入情況，這項測驗可以讓你加深印象；倘若體檢結果不甚理想，你也依然能發掘出癥結所在，依

照書中的指示來改進。

怎麼做測驗呢？很簡單，請老老實實的回答下列這五十五項敘述，判斷你在日常生活中對每一項情況的認知或實踐程度。評分方式為：

絕無此事：一分
偶爾為之：二分
通常如此：三分
大都如此：四分
絕無例外：五分

請依照這套標準記下你在每個問題的得分，然後予以統計；在測驗結束之後將可看到一張對照表，讓你明白自己究竟是公關專家，還是獨行俠。

這五十五項問題可區分為九大類，將分別在書中詳述。在每一章中，每一項敘述除了有深入的分析之外，還將提供一些事例來讓你明瞭這些心理建設、公關點子是如何去改變一個人的前途。

你不妨把這項測驗視之為「人脈體檢」。只要能坦誠地去面對這項結果，再

依據後面這十幾章中的內容去對症下藥，相信當你「退伍」時，功力必然是不一樣的。請拭目以待。

心理建設

一、我很清楚人生的意義以及畢生所戮力以赴的目標。

二、我能列舉出截至目前為止的五件重大成就。

三、我很明白自己有哪些專長和資源正是他人所迫切需要的。

四、我已在心靈上做了充分的自我調適，揮別跑單幫的日子。

五、如果要加入人際關係這條網路，我曉得自己確實有幾把刷子。

六、我平日有擬定短期與長期奮鬥目標，並定期予以審視與修改以符合現狀。

七、我可以列出一張「網路圖」，顯現出我在這項資源上的多樣化與觸角縱深。

在建立人際關係時；需以謙恭君子自詡

八、我有本事以一種並不專業化的方式來做自我介紹。

九、在做自我介紹時，我的措辭總是簡潔得體、不卑不亢，且能引發對方的好

奇心。

十、我與眾人相處時非但沒有不自在的感覺，而且還能技巧性地打開話匣子。

十一、如果在公眾場合中發現與對方似曾相識，我會主動再做一次自我介紹。

十二、當對方在做自我介紹時（或經別人介紹），我一定會牢牢記住其大名與長相。

十三、倘若為了廣結善緣而須在某個社交場合做東，那可正是我的拿手好戲。

十四、為了替自己的事業擴展出路、打知名度，我會很樂於站出來。

十五、在與每個人打交道時，無論其社會地位如何，我總是待之以禮。

處理名片的藝術

十六、我的名片是經過精心設計的，能清楚顯示我的工作性質。

十七、無論在何時何地，我都會攜帶一疊數量充沛的名片。

十八、在情況合宜時，我才會遞上名片。

十九、我在每一張所收到的名片上都會記載日期以及相關事項，便於日後整理與查核。

以感恩的心來灌溉人際關係長青樹

二十、我每天都會向他人說好幾次「謝謝」，也會有好幾個人跟我道謝。
二一、只要是能給予我激勵，我都會誠摯地向那個人道謝，包括陌生人。
二二、為了避免人際關係之樹枯萎，我不時會以打電話、送小卡片，以及送小禮物的方式來向對方表達感激之意。
二三、我有專用的信箋、卡片與便條紙。
二四、倘若有人善意地伸出援手或向我致謝，我將欣然接受。

如何讓自己成為他人求助的對象

二五、我已建立起一套既系統又管用的人際關係網，能夠隨時派上用場。
二六、我所收集的名片都經過系統化的整理，而且定期去更新資料。
二七、由於時間資源極為寶貴，因此我有一套相當有效的管理系統來監控之。
二八、我每天都會詳細檢視當日的工作進度表，逐一核對施行的狀況。
二九、我的原則是先解決眼前的問題；而不是把它扔到工作記事簿上，能拖則拖。

三十、所有的來電，我都會在二十四小時之內回覆。

三一、在拿起話筒之前，我會先思索一下待會要講些什麼。

三二、倘若對方所提出的邀請（會見某人，或是參加某項社會活動等）將會消耗可觀的時間與精力，那我會予以婉拒。

三三、在參加每一項社交活動前，我都會妥善衡量，以期能把握每一個擴展人際關係與事業的良機。

如何開口求助

三四、只要有需要，我會主動尋求他人的救援。

三五、在開口時，我都會簡單明瞭地陳述要求，而且不會展現一副咄咄逼人的姿態。

三六、在與朋友的交談中，我常會冒出這句：「對了，你認識的人當中，有哪個人……」

三七、對於別人所提出的建議，我有雅量去虛心接納，即知即行。

三八、每次和朋友交談後，我都有種受益匪淺之感。

如何讓你脫穎而出

三九、我有參與若干同行、職業性社團或其他民間社團。
四十、目前至少在一個上述的機構內擔任幹部或顧問的職位。
四一、我經常會受人所托，必須利用我的人際關係網來處理這些請托事務。
四二、「舉頭三尺有神明，抬頭三尺有人際關係。」我會勤於把握每一個機會，讓走近我身旁的人都「中計」，墜入我的人際關係網內。
四三、我會經常評估自己的人際關係網，不斷予以擴展。

如何讓別人來親近你

四四、我對自己的直覺深信不疑。
四五、對於在人際關係網上的每個盟友，我都會傾全力助他們飛黃騰達。
四六、我能提供給朋友們一流的服務。
四七、朋友們都喜歡向我傾訴他們的心聲。
四八、君子愛財，取之有道。無論我是本著何種目的去和別人打交道，他們都不難感受到我的那股高尚節操與專業涵養。

四九、我能以開敞的胸襟去面對每個「結緣」的機會。

如何讓人際關係成為你生命中的一部分

五十、我是公認的人際關係高手，擁有一套千錘百煉的龐大「情報網」。

五一、我的人際關係網不僅造就了我自己，也惠顧了廣大朋友，而且影響力相當深遠，波及生活面與事業面。

五二、我時時刻刻都會以這張人際關係網為念，悉心去照料它、灌溉它。

五三、一提到「良好人際關係」，朋友就不禁要拿我當宣傳品。

五四、對我而言，這個世界還真是挺小的，只需一片人際關係網就可以「一網打盡」。

五五、毫無疑問的，人際關係已深深影響到我的人生觀與生活形態。

評估方式

先把總分算出來，然後看清楚：二七五～二三七：人際關係至尊；二三六～二〇〇：人際關係高手；一九九～一六四：人際關係老手；一六三～一二八：人際關係新秀；一二七～九二：膽小如鼠；九一～五五：跑單幫的。

第四節　種一棵自己的人脈樹

三十五歲前最重要的十件事之一——建立你的人際關係網。

如果有一天，一些從來沒有預料到的事情發生了，你有可以立即求救的人嗎？在你的生活中，有沒有你可以不假思索求助和給予幫助的人。如果到了三十五歲你仍未建立起牢固的人際關係圈子，那你真的就有麻煩了。這個圈子裏的人，有的是你的朋友、親人、同事；有的向你吐露過這樣那樣的心聲；有的受過你的恩惠；有的幫助過你；有的和你有著相同的愛好……包括所有可以互相幫助的人。

培育自身

只有自己能夠先成為別人眼中的良友，人們才會願意接近你。因此，建立人際關係的第一步，乃是先使自己擁有成為他人人際關係的價值。

倘若聆聽中學生及高中生的煩惱，大致以「想結交朋友」或「周圍沒有好朋友」兩項居多。然而，如果自己本人無法讓別人感覺「和他在一起心情就愉快」、「可以聽到有趣的事」、「可以學到有益的東西」、「常有妙點子」，是很難交到朋友的。

因此，在哀歎自己周圍缺乏良好人際資源之前，無論如何，都應該以培養自己本身的魅力為第一大要務。

如果想結識風趣的朋友，自己應該先變成風趣的人。每逢和人碰面時，「昨天，發生了這麼一回事吧！」總是喜歡和人分享有趣事物的人身旁，必定經常有人圍繞著。

反之，如果像新聞記者似的，每次見到人劈頭就問：「最近有沒有遇上什麼有趣的事啊？」的人，必定讓人敬而遠之。光是和這種人站在一塊，連自己都會感到神經緊繃。因此，即使自己知道一些有趣的事物，也不想積極地告知對方。果真要分享有趣的話題，寧願找更樂觀、開朗的人做談話對象。因為和這種人在一起，必定可以引起共鳴。

有些人會抱怨說：「我為人如此風趣，怎麼身邊圍繞的淨是一些無聊的人呢？」抑或「我這麼優秀傑出，怎麼認識的人淨是些沒用的東西呢？」然而，認為周圍的人無聊，抑或輕視別人如廢物的人，應該明白自己才是無聊的人！

圍繞在自己身邊的人們就像一面鏡子，可以反映出自己的模樣。只要觀察身旁人們的樣子，即可明白自己的現狀。心情愉快時，個性開朗的人容易聚攏在一塊；頹喪消沉時，垂頭喪氣的人才會靠在一塊。人們通常傾向於和擁有同等電壓的人聚合。

我的命運如同一顆麥粒，有著三種不同的道路：可能被裝進麻袋，堆在貨架上，等著餵豬；也可能被磨成麵粉，做成麵包；還可能撒在土壤裏，讓它生長，直到金黃色的麥穗上結出成百上千顆麥粒。

我和一顆麥粒惟一的不同在於：麥粒無法選擇是變得腐爛還是做成麵包，或是種植生長。而我有選擇的自由，我不會讓生命腐爛，也不會讓它在失敗、絕望的被岩石磨碎，任人擺佈。

因此，人際關係中最重要的角色是自己。培育人際關係的第一步，便是培育自

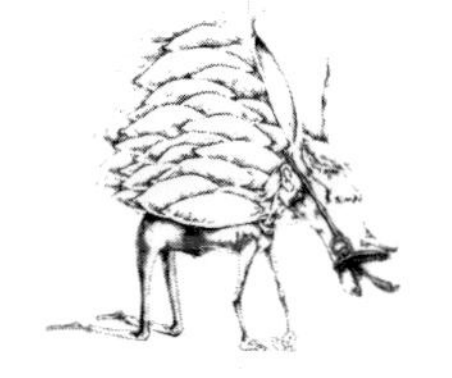

己本身。

勇敢地邁出第一步

由於害怕傷害別人，有些人因而不敢深入接近別人。這種想法在近來的年輕人之間，似乎出現強烈傾向。這種錯覺誤以為和別人採取保持距離、不相互傷害的交往方式，便是對別人的體貼表現。然而，這種想法裏隱藏著莫大錯誤。

人際關係既然是以人性交往為目標，傷害對方的情形也不少。這是因為人類心中必定隱藏著鋸齒狀的部分。無論是誰，必定擁有某種精神性或性格上的鋸齒部分。

兩個有棱角的個體在一起相處，鋸齒部分難免會刺傷對方。一旦被刺，肯定會感到疼痛。有時候甚至會同時傷害到自己。然而，即使這般相互傷害仍可以持續的交情，才稱得上真正的密友。

當然了，如果將那種鋸齒狀的部分隱藏起來，並且和對方保持一定距離，自然不會傷害到對方。然而，這種關係既非愛情也稱不上友情。如果害怕傷害別人，肯

定無法建立起人性化的人際關係。

正因為彼此認真交往，才會產生嫉妒或爭吵。如果對方因此抽身退離，你也只能對這種程度的關係斷念。

儘管如此，只要傷害到別人，自己也肯定會感到心情沮喪。

不過，你還是應該勇於接近別人。一旦不慎傷害到別人時，不應該立即抽身迴避，應該更往前靠近對方。藉由進一步溝通瞭解，對方將明白自己遭受傷害的原因。惟有此時，友情才能獲得成立。人際關係本來就是在傷害與被傷害的交替下培育的。

平等相待

英國著名戲劇家、諾貝爾文學獎獲得者蕭伯納對「平等」兩字有很深的體驗。一次他訪問蘇聯，漫步在莫斯科街頭，遇到一位聰明伶俐的蘇聯小姑娘，便與她玩了很長時間。分手時，蕭伯納對小姑娘說：「回去告訴你媽媽，今天跟你玩的是世界有名的蕭伯納。」小姑娘望了蕭伯納一眼，學著大人的口氣說：「回去

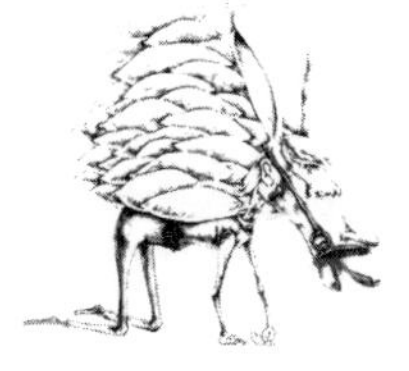

告訴你媽媽，今天跟你玩的是蘇聯小姑娘安妮娜。」這使蕭伯納大吃一驚，立刻意識到自己太傲慢了。後來，他常回憶起這件事，並感慨萬分地說：「一個人無論有多大成就，對任何人都應該平等相待。要永遠謙虛，這就是蘇聯小姑娘給我的教訓，我一輩子也忘不了她！」

與別人一起分享

有個人因為其家族歷史中素有心臟病與過度肥胖的問題，竟成了一個標準的營養顧問，她對每一種食物的卡路里、膽固醇與脂肪的含量知道得一清二楚。她的正職是財務顧問，而且還做得相當出色。但是如果有人虛心請教，她最樂於告訴你如何榨出體內不必要的油脂。

也許你懂得園藝、理財或電腦；或者，你極富幽默感，總把笑聲感染給別人；或許，你總是手不釋卷，且樂於推薦好書給別人。不論你屬於上述的哪一種人，千萬不要忘記和別人共同分享你的專長。

美國前國際演講者協會刊物《盡情演說》的編輯，也是自由專欄作家伊絲麥爾，獲悉著名的演說家羅安剛從以色列回來時，一見面便問羅安是否聽過作家凱樂門的名字，伊絲麥爾本身是個偵探小說迷，她因此向羅安大力推薦凱樂門的作品：「他的小說棒極了，我可以寄一本給你看看，他故事的場景是在耶路撒冷，看過以後，你對許多術語會懂得比我還多。」由於伊絲麥爾的熱心推薦，羅安因此看過大部分凱樂門及其夫人費・凱樂門的作品，對以色列也有了更深的瞭解。在讀過那些作品後，羅安要強調的是，對她而言，伊絲麥爾真是一個寶貴的資源。

我們每個人都能在所活動的圈子裏，有各種不同的貢獻。而在貢獻之前所需的自信心，則根植於自我評估。細想一分鐘：上回朋友要你推薦餐館、牙醫、裁縫師、貸款經紀人、洗衣店、花店，是什麼時候的事?也許就是剛剛也說不定。請記住，如果有人找你推薦或介紹，那表示你的意見受重視。因此，千萬不要低估了自己在這方面的潛能。

人際關係做得最好的人，往往並不知道他們正在「做」人際關係。他們並不刻意矯情，只是大方而樂意地與別人分享資源、意見與資訊。

口袋裏裝滿寬容

原諒一個人有時候是使之再生。

寬容需要有一顆博大的心，寬容可以使自己最大限度地減少麻煩，寬容地待人，不為一點小事斤斤計較，是做人應該具有的品德。

希臘神話中有一位大英雄叫海格力斯。一天他走在坎坷不平的山路上，發現腳邊有個袋子似的東西很礙腳，海格力斯踩了那東西一腳，誰知那東西不但沒被踩破，反而膨脹起來，加倍地擴大著。海格力斯惱羞成怒，操起一條碗口粗的木棒砸它，那東西竟然長大到把路堵死了。正在這時，山中走出一位聖人，對海格力斯說：「朋友，快別動它，忘了它，離開它遠去吧！它叫仇恨袋，你不犯它，它便小如當初，你侵犯它，它就會膨脹起來，擋住你的路，與你敵對到底！」

是啊，口袋裏裝滿了寬容，就會與人方便，與人方便就是與己方便，成功自然也近了許多。而事實上，很多人往往因為一點小小的利益與別人發生衝突，甚至大打出手，不僅良好的人際關係破壞了，也影響後來的前途。所以，每個人都要時時記住這句話，無論是在日常生活中，還是在工作崗位上，履行了這個信條，對自己的未來是一定會有所幫助的。

美國經濟大蕭條時期，大批工人失業，許多人生活得很艱難。一位剛剛二十歲的姑娘莎麗費了好大的勁兒，才找到一份在一家高級珠寶店當售貨員的工作。

一天，店裏來了一位四十歲左右的男顧客，儘管他看上去穿著整齊乾淨，很有修養，但是很明顯，這也是一個遭受失業打擊的不幸的人。此時店裏只有莎麗一個人，其他幾個職員剛剛出去。莎麗向他打了一個招呼，男子不自然地笑了一下。

這時，電話鈴響了。莎麗趕緊去接電話，由於過於著急，她一不小心，把擺在櫃檯上的盤子打翻了，盤中裝著的五枚珍貴的鑽戒掉在了地上，本來是剛才有個顧客想買鑽戒，顧客走後她沒有及時放回去，因此才發生了上面這件事。莎麗慌忙彎腰去揀，但她揀回了四枚以後，卻怎麼也找不到第五枚戒指，到處都看了，就是看不見。當她抬起頭時，看到那位男士正要離開，頓時，她明白了為什麼找不到最後一枚鑽戒。當男子的手將要觸及旋轉門時，莎麗溫柔地對他說：「對不起，先生，請留步。」

男子轉過身來，兩個人相視無言，足足有一分鐘。莎麗的心在狂跳，她不知道接下來會發生什麼。「什麼事？」他終於開口問道。莎麗鎮靜了一下，說道：「先生，我找到這份工作很不容易，不是嗎？」男子一直注視著她的眼睛，一會兒，他笑了出來，莎麗也微笑著看著他，她知道問題解決了。「是的，你說的對。」他說，停了一下，他向前一步，把手伸給她，「我可以為你祝福嗎？」握完手後，他轉身緩緩地走向門口。

莎麗目送著他的身影在門外消失，轉身走回櫃檯，將手中的第五枚鑽戒放回原處。她很高興。

「用我心換你心，始相知情深。」心靈上的問題只有用心靈來解決，作為有良知的人在本質上還是向善的，以理解待人，以寬容待人，才是與人溝通的最好途徑。

重視渺小

渺小的東西雖然渺小，但也有存在的價值。很多時候就因為渺小事物的存在而

解決了大問題，尤其是牽涉到成敗的生死關頭，局勢的轉變往往由一些小事物所決定。因此，誰重視了渺小，誰就爭取了主動，最終走向成功，取得勝利。

馬背上的將軍拿破崙在某次戰役中，被敵人包圍，在窮途末路時，他不得不躲進一個很小的洞穴。就在他進入洞穴的時候，正好有一隻蜘蛛開始在洞口織網。不久，敵人的追兵趕到，在洞口站住了，蜘蛛的網剛好織好，敵人看到洞口的蜘蛛網完好，認為拿破崙不可能躲入洞中，便退兵了，拿破崙因此而撿了一條命。

還有一次，拿破崙的軍隊與敵國展開持久戰，雙方僵持不下，為了取得勝利，他決定冒一次險。在一個漆黑的夜晚，他化裝潛入敵人將軍的臥房，想偷取將軍的指揮刀，他看見指揮刀就墊在將軍腳下，一直沒辦法拿到。

正在拿破崙焦急不堪的時候，飛來一隻蚊子，停在將軍的腳上，將軍無意識地抬腳，拿破崙趁機偷到指揮刀，並順利地逃跑。

第二天，兩軍再次對壘的時候，拿破崙亮出偷來的指揮刀，向敵軍招降：「你的刀我都可以輕易奪來，再也沒有比殺你更簡單的事，我所以不殺你，是想給你一條活命，歸屬於我！」

敵人的將軍一看自己的刀果真在對方手裏，就投降了。

拿破崙後來終於成為令整個歐洲聞風喪膽的小個子將軍，他即位後經常告誡自己的部下：「在這個世界上，沒有無用之物，不管是什麼東西，我們都不應該忽視。」

是啊，事物無論貴賤，自有特殊的用途，事物尚且如此，更何況人呢！作為一個上司或老闆，或者管理人員，都不要輕易地否定哪個人的能力，鄙視哪個人的作用。也許某一天，你變得離不開他，或者沒有他就做不了事情。一顆螺絲釘雖小，但是缺少它，整個機器會有崩潰的危險，所以重視渺小，是不會吃虧的。

人際交往關係是一張網，人脈的威力在於這張網的大小和深度。你能做什麼，不僅僅取決於你認識誰，更多時候，取決於你認識多少人。「尺有所短，寸有所長」，不要因為一個人不具有強大的影響力就忽略他。

懷著一顆感恩的心

這是一個關於越戰歸來的美國士兵的故事。

他從舊金山打電話給他的父母，告訴他們：「爸媽，我回來了，可是我有個不情之請。我想帶一個朋友同我一起回家。」

「當然好啊！」他們回答，「我們會很高興見他的。」

不過兒子又繼續說下去，「可是有件事我想先告訴你們，他在越戰裏受了重傷，少了一條胳臂和一隻腳，他現在走投無路，我想請他回來和我們一起生活。」

「兒子，我很遺憾，不過或許我們可以幫他找個安身之處。」

父親又接著說：「兒子，你不知道自己在說些什麼。像他這樣殘障的人會給我們的生活造成很大的負擔。我們還有自己的生活要過，不能就讓他這樣破壞了。我建議你先回家然後忘了他，他會找到自己的一片天空的。」

就在此時，兒子掛上了電話，他的父母再也沒有他的消息了。

幾天後，這對父母接到了來自舊金山警局的電話，告訴他們親愛的兒子已經墜樓身亡了。警方相信這只是單純的自殺案件。於是他們傷心欲絕地飛往舊金山，並在警方帶領之下到停屍間去辨認兒子的遺體。那的確是他們的兒子沒錯，但驚訝的是，兒子居然只有一支胳臂和一條腿。

故事中的父母就和我們大多數人一樣。要去喜愛面貌姣好或談吐風趣的人很容易，但是要喜歡那些造成我們不便和不快的人卻太難了。我們總是和那些不如我們健康、美麗或聰明的人保持距離。然而感謝上帝，有些人卻不會對我們如此殘酷。他們會無怨無悔地愛我們，不論我們多麼糟糕，總是願意接納我們。

每個人的心裏都藏著一種神奇的東西稱為「友情」，你不知道它究竟是如何發生，何時發生，但你卻知道它總會帶給我們特殊的禮物。你也會瞭解友情是上帝給我們最珍貴的禮物！

朋友就像是稀奇的寶物。他們帶來歡笑，激勵我們成功。他們傾聽我們內心的話，與我們分享每一句讚美。他們的心房永遠為我們而敞開。現在就告訴你的朋友你有多在乎他們，懷著一顆感恩的心去接納他人，以施惠於人為樂，享受施予的快樂吧！

感恩別人就會惠澤自己。

留點時間給朋友

我們經常說花點時間給家人，孰不知朋友也需要你在意，哪怕只是一個電話，一杯清茶，一分鐘時間……你會換來比金子更可貴的人心。人際關係網不是一朝一夕就能建立起來的，它需要數年甚至數十年的培養。一個人在事業上、生活上的成功其實就如同一個組織的成功，需要有許多人散佈在適當的地方，從事適當的工作，你可以依賴他們，他們也可以依賴你。父母親可以說是孩了們情感上、生活上和交友等支援力量的中心源頭。許多青年人更幸運是因為他們有幸擁有較廣泛的人際關係網——祖父母、父母、親友、鄰居等等。

友誼是一朵嬌貴的花，需要雙方的精心呵護和照顧。我們的愛心是陽光和雨露，滋潤常開不敗的友誼之花。不管是私人的還是公事上的朋友，你們之間的友誼都需要精心的培養、維持，才能長久。但是，我們卻總是有各種的理由來疏遠朋友。我們實在太忙了，於是一天天、一月月、一年年都過去了，都沒有時間看看朋友，想想朋友。忙碌其實是多麼蒼白的理由。最根本的、真實的原因就是自己太過

疏懶，根本不想去接觸。朋友就像我們人生道路上的路基，朋友越多，我們的道路會越堅實、越寬廣。如果我們想走得更扎實、更穩當、更順利些，有什麼理由不去花費時間和精力去夯實路基呢？

離久自然會情疏的，回想一下兒時的朋友還有幾個仍記在你的電話簿裏呢？別老指望對方主動來找自己；為什麼不主動去看看朋友呢？主動的姿態更容易加深友誼。如果你覺得實在是太忙了，根本沒有時間，如果你忙的經常忘記聯繫朋友，那麼就在今天，就是現在，打個電話給朋友，哪怕只是約他出來喝杯清茶！即使你只有二十分鐘的時間，上肯德基吃個漢堡也是非常不錯的主意啊！晚宴的約會都排滿了，約身邊的朋友吃個早餐怎麼樣？

在公司上班的人，工作日安排得滿滿的，週末還想留給家人，陪陪父母，和朋友在一起的時間實在不多。但你可以約住在近處的朋友早上吃個簡單迅速的早餐。這樣一來，不僅可以和朋友時常保持聯繫，也不會妨礙到各自忙碌的工作。只要你動動腦子，就會發現有很多辦法和方式維持朋友之間經常聯繫。

朋友是我們人生之路的路基，留點時間夯實你的路基。

結交社交專家

如果你不認識交際專家，你就永遠無法是個社交專家，你也將永遠無法認識一位社交專家。不善於找到夥伴，將沒有人把你當夥伴。如果人脈是一棵樹，交際專家就是樹的主要枝幹，他們是我們人際關係網的關鍵節點，這張網裏每多一個這樣的人，我們都會多許多「夥伴」和朋友，這張網也會擴大好幾倍。

有這樣一個故事：一位來自一個很偏僻的地方的青年人，有一次他在學校裏聽到一個專家的講座後，非常喜歡。於是趁著假期專門去拜訪那位老專家，卻苦於無法合情合理地接近他，也許是運氣吧！有一天，他正在商店裏買東西，看見老專家也在採購，於是走上前幫他拿東西。趁著這個機會，向老教授表達了自己的想法，沒想到老教授居然答應了他。三個月後，他成為老教授惟一的一個貼身助手。憑藉

著自己的廣泛而深厚的人際關係，老教授把他介紹給了許多行業內的頂尖人物，於是順理成章地，他也迅速擁有了自己的人脈，而且其中有大多數人是領導人物。當我們再見到他時，儼然已經是一個春風得意的青年俊才了。

如果你很年輕，正在做第一份工作。你可能面臨不少問題：人際圈子有點窄小。十個月前加入公司的排球隊，而現在仍當不上副隊長，儘管球技不錯。沒關係，記住，人際是一門終生的學問，需要不停地學，不停地用。你在二十歲時學習，七十幾歲時仍然會有收穫。

當你準備要開始建立一個人際關係網時，至少應該做到：

利用任何機會，打入任何可以找到的團體。午餐、頒獎、聚會、募捐等任何活動，都是傳遞經歷，建立網路的最佳時機。你會遇見同行業的競爭對手——也許你的下一個工作就在他那裏，也可能你的下一桶金就在他那裏，你的下一個貴人就在他們當中。你不認為自己需要認識這些人嗎？

參加全國各地的商展及會議場所，沒有地方比在那裏建立廣泛人際網路更有效的了。李小姐曾經在一個很偶然的機會，經朋友介紹，去參加一個全國服裝展覽

會，結果就在會上認識了一位很有名的服裝設計師。吃飯的時候他們正好坐在一桌，於是攀談起來，得知他正準備招收一個助手。而李小姐正好有一個親戚特別想從事服裝行業，於是抱著試試看的心情，把她介紹給了那位設計師，沒想到三年後，李小姐的這位親戚居然成為一個很優秀的設計師，屢屢在全國大賽中獲獎。常常給李小姐發來電子郵件和她自己的作品。

拜訪爸爸的老朋友

生活經歷告訴我們一個真理：向專家和領導求教，比向一般人求教更容易；向長者求教，比向你的同齡人求教更有效。因為大多數的專家、領導者，在被問及任何意見時，都會受寵若驚。甚至一般的老人，被年輕人請教時，也非常願意把自己的人生經驗和收穫得失與年輕一代分享。

就像長者所說的，「我們比較沒有私心，而且不需擔心有人走進辦公室來奪走我們的飯碗，或是浪費我們的時間。我們擁有一個人際關係網，不管我們是否正式登記過，這個人際關係網都必然將隨著我們一起消失，我們很清楚這一點。然而，

我們還是喜歡扮演諮詢者的角色，而惟一的方式便是傳承自己長年累月的經驗，並且不時對聽眾提出一點神聖忠告。」對任何一位需要幫助並懂得如何獲得幫助的年輕人而言，這是個絕佳的機會。

因此，安排點時間去拜訪「爸爸的老朋友」吧！拜訪中表現出來的應該是，你所需要的是一點事業和生活上的忠言。只要努力，你會得到想要的建議的，這是早晚的事。一旦得到了他的建議，他還可能給你他的人際關係，他們的人際關係還是很具有影響力的。他們還將會對你的未來進行投資。就像選舉贊助人一樣，支持你的人都希望看到你成功。

長線、大魚和人脈

這是一家規模很小的企業的招募會。這家企業很小而且剛剛成立不久，但由於從事的行業是最有前途的通訊業，而且公司的創立者掌握著領先同行的關鍵技術，總經理本身在商界頗有實力，進而助長了這家企業的人氣。應徵者共有一百位，但是最終進入企業工作的卻只能有三個人。大部分應徵者都被辭退了。就在這些人要離開的時候，總經理的秘書留住眾人，「諸位辛苦了，雖然我們這次沒有足夠的職位滿足大家，但是我們知道，你們都是非常優秀、具有很大潛力的年輕人，現在我們把自己掌握的其他企業空缺的職位訊息提供給大家，希望能對你們有所幫助，也衷心祝願你們能如願以償」。大家都覺得很震驚，一個小小企業，雖然初涉商場，居然有如此長遠的眼光！究其原因，乃是因為其餘的九十七人肯定將分別進入各種行業各類公司就職。如果能夠與這些人保持良好的關係，就可以輕易造就九十七家公司的人際關係。原本看似轉眼即逝的緣分因此變成了企業的人際關係資產。

有個已經退休的老人，講了這樣一個故事：他有一個非常好的朋友，相交三十多年，至今仍是最要好的夥伴。原來，他們是同一年進入同一個部隊工作的，他當時是個軍校畢業的軍官，而對方只是一個普通的再也不能普通的士兵。後來兩個人都因為出色的工作成績和才幹而被提拔到同一個辦公室。再後來，機關需要提拔一個幹部，他們兩個都成為最有可能的候選人，當然也就成為最強勁的競爭對手。這是一個非常微妙的關係，許多人都認為他們是理所當然的對手，關係肯定非常糟糕。也曾經有過好多心懷別樣目的的人，在兩人中間說些不利於團結和工作的話。

但是，他們兩個卻成為最要好的朋友，從來不為名利爭權奪勢。後來，他調到了另外一個單位，並且當上了主管，最初他還以為是自己真的才能出眾。原來，這一切都是對方為他安排的，那位朋友憑藉自己的人際關係，把他引見給上級，才使得他走得那麼順利。直到晚年，兩個人都功成名退，老人更覺得當年辛辛苦苦所維持良好的朋友關係，給自己帶來了莫大的回報和安寧。

老人語重心長地告誡年輕人：一定要和你同期進入公司的職員保持良好的關係。

所以說，對同期進入公司的同事切不可視作競爭對手，而應該盡力去維持朋友關係。不但會活得省心，而且會獲得想不到的幫助和回報。

> 世界上最寬廣的是容納競爭對手的胸懷。

用全身心的愛來迎接今天

愛是一切成功的最大秘密。強力能夠劈開一塊盾牌，甚至毀滅生命，但是只有愛才具有無與倫比的力量，使人們敞開心扉。

記住下面這段話，它將使你終生受益。

我要讓愛成為我最大的武器，沒有人能抵擋它的威力。

我該怎樣說呢？我讚美敵人，敵人於是成為朋友；我鼓勵朋友，朋友於是成為手足。我要常想理由讚美別人，絕不搬弄是非，道人長短。想要批評人時，咬住舌頭，想要讚美人時，高聲表達。

我該怎樣行動呢？我要愛每個人的言談舉止，因為人人都有值得欽佩的性格，雖然有時不易察覺。我要用愛摧毀困住人們心靈的高牆，那充滿懷疑與仇恨的圍牆。我要鋪一座通向人們心靈的橋樑。

我該怎樣回應他人的行為呢？用愛心。愛是我打開人們心扉的鑰匙，也是我抵擋仇恨之箭與憤怒之矛的盾牌。愛使挫折變得如春雨般溫和，它是我商場上的護身

符：孤獨時，給我支持；絕望時，使我振作；狂喜時，讓我平靜。這種愛心會一天天加強，越發具有保護力，直到有一天，我可以自然地面對芸芸眾生，處之泰然。

從今往後，我要愛所有的人。仇恨將從我的血管中流走。我沒有時間去恨，只有時間去愛。現在，我邁出成為一個優秀人的第一步。有了愛，我將成為偉大的推銷員，即使才疏學淺，也能以愛心獲得成功；相反地，如果沒有愛，即使博學多識，也終將失敗。愛別人是我們的義務，即使是那些傷害過我們的人。

學會控制情緒

潮起潮落，冬去春來，自然界萬物都在循環往復的變化中，人也不例外，情緒會時好時壞。怎樣才能控制情緒，以使每天卓有成效呢？除非心平氣和，否則迎來的又將是失敗的一天。花草樹木，隨著氣候的變化而生長，但是人要為自己創造天氣。要學會用自己的心靈彌補氣候的不足。如果你為顧客帶來風雨、憂鬱、黑暗和悲觀，那麼他們也會報之以風雨、憂鬱、黑暗和悲觀，而他們什麼也不會買。相反地，如果你為顧客獻上歡樂、喜悅、光明和笑聲，他們也會報之以歡樂、喜悅、光明和笑聲，你就能獲得銷售上的豐收，賺取成倉的金幣。有了這項新本領，你才能體察別人的情緒變化，才能寬容怒氣沖沖的人，因為他尚未懂得控制自己的情緒。

每當看到美元紙鈔上華盛頓的肖像時，看著他白色捲髮映襯下那平靜、自信、顯示著自制能力的面龐，你大概難以相信他年輕時曾有一頭紅髮，脾氣火暴吧！要是他沒有學會靠自制力改變自己的壞習慣，那恐怕就無法成為叱吒風雲、率領沒有受過訓練的民兵戰勝喬治王的軍隊的領袖，恐怕他也不會成為美國第一任總統。

你不應再只憑一面之交來判斷一個人，也不應再因一時的怨恨與人絕交，今天不肯花一分錢購買金篷馬車的人，明天也許會用全部家當換取樹苗。知道了這個秘密，你可以獲得極大的財富。你可以從此領悟人類情緒變化的奧秘。對於自己千變萬化的個性，你不應再聽之任之，要知道，只有積極主動地控制情緒，才能掌握自己的命運。

笑遍世界

有這麼一首詩，名字叫《笑的價值》。詩中寫道：它不費什麼，但產生許

多；它使得受者獲益，給者不損。貧困的人需要它，而富裕的人也同樣需要。它是朋友間友誼的普遍標誌。它能使疲倦者得到休息，使失望者得到陽光。它使人快樂，給人溫暖；它是大自然解除患難憂慮的良藥；如果需要讓人喜歡，就應該真誠地把它奉獻。

最好看、最美麗的微微一笑，勝過許多華麗的服裝。微笑本身好像在說：「我喜歡你，你使我快樂，見到你非常愉快。」真是無聲勝有聲。

只有人類才會笑。樹木受傷時也會流「血」，禽獸也會因痛苦和饑餓而哭嚎哀鳴，然而，只有人才具備笑的天賦，可以隨時開懷大笑。從今而後，你要培養笑的習慣。

笑有助於消化，笑能減輕壓力，笑，是長壽的秘方。

有一句至理名言，你要反覆練習，直到它們深入你的骨髓，出口成言，讓你永遠保持良好的心境。這句話，傳自遠古時代，它們將陪你渡過難關，使你的生活保持平衡。

這句至理名言就是：這一切都會過去。

你要用你的笑容感染別人，雖然你的目的自私，但這確是成功之道，因為皺起的眉頭會讓顧客棄你而去。只有微笑可以換來財富，善言可以建起一座城堡。

微笑，無論對朋友還是對敵人。應努力發現他們身上值得讚揚的品質，因為人類出於天性深深地嚮往著讚美。而事實上，我們每個人都有值得稱讚的地方，你要做的就是表達出那來自內心的讚美之聲。

讚揚、微笑、表示關切，我們既是付出者，也是受益者，為別人帶來美好的生活，也為自己創造著奇跡。微笑是你能夠贈與別人的最為廉價的禮物，卻具有震撼人心的力量。那些受你稱讚的人，也會在你身上發現他們以前忽視了的優點。

沒有什麼比挑毛病更容易的了。在牢騷行業中立足，不需要才能，不必自我否定，不費大腦，不需要個性。然而你不能把時間浪費在抱怨上了，因為它有損你的個性，沒有人願意與你合作。那應是你昔日的生活，它不應再來了。

如果以前，你愛抱怨，發牢騷，怒氣沖沖地看待這個世界，浪費了許多機會，包括那些本可以在微笑面前敞開的大門，和那些原本可以為善意的語言打動而伸出的援助之手。那麼現在你應開始學習一項偉大的生活藝術，為自己創造機會，捕捉

機會。

微笑和握手都是愛的表現。生活不是由偉大的犧牲和責任構成的，而是由一些小事情，像微笑、善意和小小的職責組成的。盡可能每時每地地付出這些，並能夠體察任何心靈，生活中最好的東西便是無微不至的關懷。善意的語言使人們的精神產生共鳴。由此產生美好的想像。它使聽到的人感到欣慰、安寧和舒適，同時對自己的乖戾、鬱悶及其他不好的情感感到羞愧。這種語言非常豐富，能夠在許多場合大顯身手。如果以前你沒有意識到它的作用，以後則要多加練習，學會使用這種語言，因為它關係到你的幸福。

日常生活中，愛戴與欽慕的贏得，是通過每天甚至每小時經常發生的那些看得見的、細小的善意行為，它們從一個人的言辭、聲調、手勢和表情中流露出來。仁慈的人很容易用他的快樂感染周圍的人，善良的心好像快樂之泉，使周圍每個人閃耀著笑靨。每晚就寢前，你應慶幸自己已使至少一個人更加快樂或者更加聰明，或者至少更加對自己感到滿意。

落魄的人更應予以支持

人類的習慣之一，乃是往春風得意、優秀出色的人身邊靠攏。如果能與事業有成的人締結關係，便可以巧妙利用對方那股氣勢。這雖然是人之常情，然而在這種情況下結識的對象，通常無法培育成可靠的人際關係。由於萬事順利時人人都想與其結識，換作對方的立場想想，就可以明白他對每一個人不可能交往太深。

反之，在沒落失勢時靠攏過來的人，會因為非常深刻的羈絆產生結合。在陷入遭到眾人漠視的狀態，連原本交往密切的人也將離棄時靠攏上前的人，反而愈令人心存感激。在落魄時伸手援助自己的人，值得與之交往一生。

這種成功者與失敗者之間明暗凸顯的例子，可以在選舉時看到。在獲勝的候選人辦公室裏，雖然連素昧平生的人也紛紛湧到，落選的候選人辦公室卻無人問津。仔細一瞧，有時甚至連選舉期間原本支持失敗候選人的人，也轉而投靠到政敵的辦公室。

這是十分落魄的境地。在選舉失敗下，人人求去的情景更令人感到淒涼。倘若

是前回獲勝的現職候選人，必然加倍感傷。因此，在此時如果有人造訪辦公室，此人必定大感欣慰。倘若得到來訪者一番誠摯的勉勵，「下次選舉一定要好好加油！」因此產生往前邁進的奮起心。

在這種情形下建立的關係，不會因為少許挫折即告崩潰。更何況，當時失敗的人，未必見得永遠處於失敗的處境。倘若希望在對方下回勝利時與其結成莫逆，就應該在其失敗時即已伸出援手。

在上班族的世界裏，榮枯盛衰亦是常伴之物。既有逐步攀升的人，也有失足沒落的人。得意的人身旁有大批人包圍著，落魄的人身旁則無人靠攏。

然而，一度失敗的人在某種機緣下再度翻身爬起的例子並不在少數。如果等到對方再度成功之際才來攀附交情，則為時已晚矣。就像股票如能在低價購入便可賺錢一樣，在別人落魄時伸出援手，幫忙解難的行為，在建立人際關係方面十分重要。

第二章

貴人在哪裡

朋友、富貴、天長地久。

——綠丹蘭集團

一個人賺的錢，
12.5%來自知識，
87.5%則是來自於關係。

人人都可以成為你的貴人，在你生命當中的某一階段、某個時刻、某一件事上，在你最需要援助之手的任何時候，能夠給你，你所需要的東西——哪怕只是一句話，一個眼神，一個微笑，他都可以因為改變你的人生而成為你的貴人。

這是一個「Team work」的流行時代，人脈的影響力是每個人成功絕對的核心力量，看看我們的周圍，能夠創造機會的人都是懂得如何利用人際交流技巧的智者！廣泛的人脈給我們的生活帶來最珍貴的財富——貴人。我們為了成功而尋找的貴人就是發掘自身潛力，給我們提供展現個人能力空間的人，貴人是我們事業起步和發展的關鍵，是我們邁向成功的加速器。貴人不是有義務照顧我們的保姆，也不會坐在人生的某個十字路口等待我們，我們必須有個主動的態度去尋求貴人而不是苦苦等待，並且適時選擇，變換貴人。

第一節　朋友決定你的富貴命

對於任何事業成功之人，第一桶金不僅僅意味著金錢，還有經驗、個人聲譽，以及商業網絡的建立。

善於尋求貴人相助。貴人不一定位高權重，他們可能是在經驗、專長、知識、技能等方面比你略勝一籌，也可能是你的老師、同事、同學、朋友、引薦人，他們或給予你物質上的支持、或給你提供機會、啟迪思想觀念、身教言傳潛移默化。貴人相助，可以使你迅速地脫穎而出，縮短成功的時間，還可以為你提供一定的庇護——就像一份保險。而貴人在哪裡呢？就在你的朋友中。

拓展你的勢力

要迅速成就一番大事業，光靠自己一方面的力量是不夠的。在力量不強大時，

就要善於藉助貴人的力量。我們所介紹的尋求貴人幫助的成功方法不僅僅是謀略，也是一種成功經驗的智慧產物。

西元六一七年五月，一直處在韜光養晦中的隋朝太原李淵，見時機成熟，毅然起兵反隋。當時東、西突厥再度強盛，太原又地處突厥騎兵經常出沒襲擾的地方，為解除後顧之憂，李淵親自用十分卑恭的口氣給突厥寫信求和，又以厚利相贈，希望得到援助。突厥始畢可汗卻回答說，李淵必須自立為天子，突厥才會出兵援助。

看到強大的突厥希望李淵成為天子，李淵屬下將士包括文臣謀士，無不歡呼雀躍，紛紛勸諫李淵趕快登上皇位。李淵當然也在做稱帝的美夢，但此時卻異常冷靜，考慮的很深遠。

根據當時局勢，全國農民起義風起雲湧，農民軍聲勢迅速壯大。隋王朝雖然行將沒落，但地方貴族、官吏卻擁兵自重，具有很大的實力，他們無論武器裝備還是戰鬥力，都不亞於朝廷正規部隊，分散的農民力量更是無法與之相比。而且，隋煬帝楊廣對貴族階層的叛亂更深惡痛絕，如果集中力量剿滅李淵，此時此刻十個李淵也難逃滅頂之災。

深思熟慮之後，李淵否決了部下建議，反而打出「尊隋」的旗號，立楊廣之孫楊侑為新皇帝，隋煬帝為太上皇。這樣，一方面，突厥看李淵聲勢浩大，馬上就要自立，便不再侵擾；另一方面，隋朝當權者雖然懷疑李淵深藏野心，但因他打著「尊隋」的旗號，所以除了做一些防禦佈置外，從未對李淵發起主動圍剿，李淵便乘機發展壯大起來。

更重要的是，李淵的尊隋旗幟迎合了「忠君」思想濃厚的貴族階層。在他們看來，朝廷要有一次大換班的過程，是難得的升官發財的好機會。於是，眾多手握精兵的貴族紛紛投入李淵麾下，李淵的實力急劇擴大。

當然，李淵「尊隋」畢竟是個權宜之計，他只把隋朝當做一棵正在迅速腐朽的大樹，自己尚處幼苗之時，就機敏地把苗根紮在這棵大樹之上，吸收養分、借大樹遮風擋雨，進而迅速壯大。等到時過境遷，李淵就一腳蹬開這塊爛木頭，建立唐王朝，自己去贏得民眾之心。

數千年的人類歷史文化，是人類祖先運用智慧的產物。我們不能以「完成自我」而滿足，而應以完成人類、完成天地為目的。智者善於使用智慧，就能無所

不成，愚者不善於使用它，進而一事無成，這是一種助人助己的交際態度。

人脈創造你的機遇

權威調查顯示，在百萬富豪們最看重的十大成功關鍵因素中，「把握機遇」排在第二位。還有另一調查顯示，在成功企業家們的眼中，「人際關係」是十大創造財富的首選。一位頗有名望的商人曾表示，「把握機遇」一詞就是「人際關係」因為人脈關係越好，機遇相對就越多。人脈關係最大的作用是充當資訊工具，關鍵人物的手中掌握的是關鍵資訊，所以，廣博人脈會帶給你更多有用甚至是獨家的資訊，資訊越多成功的機會越多。近年十分熱門的ＭＢＡ熱潮就是一個佐證，讀書不僅僅是為了知識充電，更為了搭建高品質的人脈關係，進而從中尋找商機。據說哈佛商學院的畢業生們，在讀書總結時，會把「建立朋友網路」放在第一位。當然這並不是說，建立人脈、經營人際關係就是要認識許許多多一塊吃吃喝喝的朋友，就是善於利用利害關係牽動許多人幫你做事。更不意味著要把不遺餘力拉關係當做頭等大事。健康的人脈在於用自己的真心和他人建立一種相互交流和提

攏的關係，不要夾雜太多的勢力和利害關係。

人際關係——求職最佳工具

對於即將走上求職路、尋找未來的畢業生，或是希望換一份更順心的工作的人，一個可靠的求職途徑是非常具有決定性的。那麼最有效的求職方式是什麼呢？

據美國加州「Association of Job-Search Trainer」的調查，大約二〇%的職位通過網路找到職員，如果除去聯邦機構聘僱的數量，這個數字會降到一%。除了這個令人沮喪的消息以外，網上每個工作機會每個月收到的求職信函有三千～五千封。美國的一位職業諮詢顧問發現，自己的大部分客戶也在網上找工作，卻幾乎沒有人直接通過網上應徵找到工作。求職成功的人，絕大多數會把求職的成功歸功於人際關係網或推薦人的幫助。「Society for Human Resource Management」（SHRM）的一項網上調查顯示，美國小企業（他們是美國經濟強勢增長的主動力）招兵買馬和保留人才主要是藉助傳統的人際關係網路：管理階層的推薦信、上司的保薦等。

小李每天都要例行一件私事。在廣闊的資訊高速公路上尋尋覓覓，尋找與他的技能和願望相符合的工作機會，當然也包括理想的工作地點和工資待遇。瞭解自己未來的老闆和工作，絕不僅僅是簡單地把幾個單字輸入某個搜索引擎而已。如果真的有那麼容易，那麼就沒有那麼多對自己的工作有著這樣那樣許多不滿意的人了。

如果一周能向四個公司發出簡歷，小李便覺得很有收穫。這是一件單調的工作，但從事這項工作的人遠遠不止他一個。成千上萬個人每天都在訪問與職業有關的網站。他們有的也許收穫不小，也因此獲得了一份理想的工作，但是大部分人仍然處於尋找和面試準備中。不能說這種方法不可取，網際網路給我們的生活帶來的改變是沒有什麼東西能夠與之相比的，但在求職這件事上，獲得成功的一個最重要途徑是人際關係網。雖然職業網站的廣告非常多，電視、廣播、報紙無處不在。但是人際關係網仍然而且必然在二十一世紀是非常有價值的求職管道。網際網路提供了一個巨大的「就業訊息」。發送眾多的電子履歷就有點像是在與影子賽拳。你打得滿頭大汗，但卻不能給對方致命的一拳。當然，這並不是阻止人們把網際網路當做一個求職管道。而是要說明，更多的求職者會發現人際網路是一個更有效的求職方式。成功求職需要建立個人的關係網。絕大多數情況下，網上申請決不可能比一對一的接觸更有效。人際關係網本來就是求職者強而有力的工具。

我們可以看一看這個資料：通過人際關係網路找到的工作職位大約占整個就業人數的六〇％～九〇％。通過非正式的面試和人際關係獲得了公司資料的求職候選人顯然有更大的優勢。大面積地搜索就業廣告，或者檢索網際網路上的人才招募網站等找工作方式，雖然能夠產生一定的作用，甚至有相當的成功比例；但事實上，只有很少一部分工作的招募是通過這樣的方式完成的。招募廣告往往還有不可忽視的風險：在你去申請工作的時候，空缺的那個職位已經招到人了，這種情況通常很普遍，不可靠、誇張的職位說明資訊也是司空見慣。自然而然地，在具備了工作必要條件的候選人之間，雇主總是願意選擇自己知道或熟悉的人，而不是一點點都不認識的人；對求職者來說，這一點也不例外，甚至更擔心。這就是人們常說的，防備心多半是針對陌生人的。不管出於什麼原因，我們都更傾向於相信一個通過可靠的途徑介紹過來的資訊。通過一個公司職員介紹新的求職者，不僅可以使應徵者對公司的瞭解更多，對公司職位的考慮更充分，關鍵是這種方式具有更高的成功率。

掌握製造錢脈的法則

交際是所有人都要掌握的核心技術之一。這句話一點都不為過。建立並維持一個人際關係網路，將是你所做的最有價值的人生投資。職業會變，人生的境遇可能變，但是一個人際關係網絡，只要你用心維護，將會讓你終生可以依賴。建立人際關係網就像一個遊戲，遊戲的規則是要遇見盡可能多的人，你們要竭盡所能地幫助彼此。這個遊戲的結果就是，在你需要的時候，首先浮上心頭的是他們的名字。

曹啟泰在他的《一堂一億六千萬的課》中提到，一九九四年他的生意陷入了困境，賠了一億元而且負債六千萬元新臺幣。單純靠努力工作，以薪水來償還這樣巨額的債務，不但是杯水車薪，而且維持日常生計的壓力也很大。他說，自己真的借錢連續借了好多年。在這樣一個困難的境況中，能夠借到錢，實在也不是一件容易的事。曹啟泰之所以能夠東山再起，還得歸於他的各種朋友關係，憑藉來自各行各業朋友們的幫助，後來他又遠至新加坡開創自己的事業，搶灘新加坡第一主持人。日前，他的債務早已還清。曹啟泰年輕的時候，率性而為，沒有任何經驗就小

孩「開大車」，結果賠了一億元還負債六千萬元，到今天債務還清，還能繼續做自己的事業。我們真的應該為像他那樣能夠借到錢的人拍拍手，因為能夠借到自己所需要資源的人，是永遠能夠絕處逢生的。這就是人脈的力量——在你需要的時候，給你所需要的東西。

第二節　你的貴人在哪裡

> 所謂人際關係網的開拓者，是這樣的一類人：對尋找具有重要作用的資訊和具有啟發性材料有著非同尋常的、甚至可以說是與生俱來的能耐。
>
> ——卡耐基

今天，當你需要跳槽時，大概首先想到的是找一家獵人頭公司；當你的公司需要招募人才時，你可能也會想到獵人頭公司。甚至當一個國家的政府在尋找內閣成員，或為一所大學在招募大學校長時，一家獵人頭公司也是求助的對象。當你的企業缺乏資金時，你會想到成百家銀行。但是，當你需要這一切成功必備的資源時，想到朋友了嗎？

朋友中的貴人多

只知道我、我、我，就是笨、笨、笨。

當今時代是一個依靠人際關係發展個人的時代，個人的生存與發展，將愈來愈多的受制於他人。

「顧客就是上帝」、「他人是我的衣食父母」等觀念，充分反映了現代社會個人對他人的依賴性。個人事業的成功與自我價值的實現離不開他人，個人人際關係發展的目的，就是為了贏得公眾的愛，獲得公眾的理解和支持。

公共關係就是「公眾關係」，離開了公眾，公關就成了無源之水。因此，個人發展必須以公眾的利益作為出發點，樹立「公眾第一」的觀念。以公眾利益為出發點，強調公眾第一，並不是不關心重視自身的利益。這實際上是一種互惠互利的關係，但必須把公眾利益放在首位。

一流的專業推銷員一般都是優秀的公關人才，威廉‧比利‧菲澤斯通就是其中的一位。比利白天要到大學上課，但他還要利用課餘時間推銷房地產。他參加各種

正式、非正式的聚會以及各種活動，提高了社交能力。二十多年來，他一直與研究成功學的大師史坦利博士是朋友。

一次，一家大型股份公司的資深副總裁和美國國內的銷售經理要史坦利博士在一個星期六的早上為在達拉斯的一百名高級專業人員開一次專業討論會。由於討論會包括角色演示與情景分析，史坦利博士邀比利前去參加。當時，比利正在向總部在達拉斯的J・G・彭妮商行推銷女式運動服，包括藍色牛仔褲。比利從史坦利博士那裏獲取了那位國內銷售經理的名字及聯繫方式，然後打電話給國內銷售經理的秘書，知道了有關討論會的具體地點和時間安排，並從秘書口中獲悉那位銷售經理赫爾曼先生的太太喜歡穿藍色牛仔褲。在確定了赫爾曼太太的牛仔褲尺寸後，就指派老資格的女裁縫特別加工了一打牛仔褲，送給了赫爾曼太太。就是這個比利，激起了赫爾曼先生的巨大熱情，整個討論會獲得了很大成功。赫爾曼先生再次要求史坦利博士舉辦另一次討論會，也許是因為比利的藍色牛仔褲，因為比利從沒告訴過赫爾曼先生，是他送來的牛仔褲，他只是在包裝盒裏放了一張字條，上面寫著「湯姆・史坦利贈」。結果，赫爾曼先生的公司購買了許多有關史坦利博士討論會

的書籍、磁帶和其他資料。

比利關心他人的需要，這最初是怎麼形成的呢？他母親總是對他說：「只知道我、我、我，就是笨、笨、笨。」換言之，要時時關注他人的需要與興趣，這句話也應成為每個人人際關係發展的基本法則。

學會利用自己的資源

蘇格拉底說過，真正高明的人，就是能夠藉助別人的智慧，來使自己不受蒙蔽。

一個軍隊優秀的統帥，一定是一個會合理利用自己資源的人，他能夠使上至將軍、下到士兵的人員都達到人盡其用，這樣軍隊才能達到最佳化的調配，才能打勝仗。人常說商場如戰場，其實，日常生活中也是如此。

星期天上午，一個小男孩在一個沙堆上玩耍。由於一個人享受這麼大的空間，他玩得十分高興。可是，當他在鬆軟的沙堆上修築公路和隧道時，他在沙堆的中部發現一塊巨大的岩石。小傢伙很討厭這塊岩石阻礙了他偉大的工程，於是開始扒開

岩石周圍的沙子，企圖把它從泥沙中弄出去。小男孩的身體還很小，而岩石卻相當巨大。手腳並用，花費很大的力氣，岩石才被他連推帶滾地弄到了沙堆的邊緣。不過，這時他發現，他無法把岩石滾動、翻過沙堆邊牆。男孩下定決心把它搬開自己的領地，他手推、肩擠、左搖右晃，一次又一次地向岩石發起衝擊，可是，每當他剛剛覺得取得了一些進展的時候，岩石便滑脫了，重新掉進沙堆。小男孩氣得哼哼直叫，使出吃奶的力氣猛推猛擠。但是，他得到的回報卻是被再次滾落的岩石砸傷了手指。他痛得放聲大哭。

整個過程，男孩的父親從起居室的窗戶裏看得很清楚。當眼淚從孩子的臉上流下來時，父親來到了跟前，問他：「兒子，你為什麼不利用你所有的力量呢？」依然陷於痛苦中的小男孩抽泣道：「我已經用盡全力了，爸爸，我已經盡力了！我用盡了我所有的力量！」「不是這樣的，兒子，」父親溫和地說，「你並沒有用盡你所有的資源，因為你還沒有請求我的幫助。」

父親彎下腰，抱起岩石，將岩石搬離了沙堆。小男孩恍然大悟，終於破涕為笑了。

自己遇到解決不了的問題並沒有什麼，畢竟一個人的能力有限，你大可以找自己的朋友或親屬幫忙，因為他們也是你所擁有資源的一部分。學會利用自己的資源，你會變得無比的強大，那個時候，也就沒有什麼問題可以阻止你了。

阻撓發生時也許是機會

諾亞建造方舟時，一直下雨。

當你和某人一塊進行某項工作並發生阻撓時，「真糟糕，這下子可要失信於對方了！」你可能會抱頭苦惱。然而實際上，你沒有必要持有這種消極的想法。在阻撓發生時，「擴展人際關係的機會出現了」，你不如持有這種想法。人與人之間，會通過阻撓產生親密情誼的。

當然，如果因為發生阻撓導致工作失敗，不僅無法獲得經濟性的利益，也會失去社會的信賴，因此無法看見眼前這個社會的成功。然而，即使在毫無收穫的情形下，人際關係也仍然確實存在著。即使工作以失敗告終，由於一同經歷阻撓，此時你和同伴之間的感情必將隨之加深，同時彼此都會抱持著下次一定要成功的念頭。

反之，即使在阻撓發生時也未離開自己，繼續與自己交往的人，可以成為真正的朋友。俗話說，患難見真情。在工作進展順利期間，你無法確知對方是否是真正可以持久交往的朋友。

無法成為人際關係的人就是，當工作進展順利時雖然會按部就班完成工作，然而一旦遇上阻撓時，立即表現出事不關己，推卸責任的態度。不但不嘗試努力，反而一溜煙逃走。對這種逆境表現軟弱的類型，在工作上也難以獲得信用，因為這種人立即就向阻撓投降，由此亦可知道，他們也無法成為可以長期交往的人際關係。

重視認真斥責的關係

如果被誤解，怪你自己，別怪聽眾。你才是傳達資訊的人。

由於過度重視人際關係，有許多人不敢認真地發怒或斥責別人。由於不想把事情鬧大造成不融洽的氣氛，因此表現出不徹底的態度。這樣，受到斥責的一方也可以看穿對方只在不關痛癢的地方，扮演著斥責人的角色。時下的管理階層由於害怕遭到年輕職員討厭，不敢開口斥責部下，那麼，彼此間的隔閡反而日益嚴重。

不敢認真斥責對方的人，無法與對方締結真正親密的關係。即使是上司和部下的關係，只因工作上迫不得已時才斥責人的上司，難以獲得部下愛戴。如果上司能夠認真斥責，部下也會認真反省，積極地努力改善自己的缺點。

反之，當上司說出不講理的話時，敢認真提出反駁的部下，反而容易受到上司欣賞。如果這種情況下表現出不乾脆的態度，一味沈默順從上司所說的話，則永遠也無法培養出親密的關係。無論彼此關係如何，敢認真斥責或發怒的人，才有能力建立有人性的人際關係。

專攻一項溝通的技巧

在促進人際溝通的方法上，可以採取飲酒聚會、打電話、寫明信片、送傳真等各種手段。然而，逐一掌握這些伎倆是完全沒有必要的。與其如此，不如只專攻自己最拿手的一項。

如果利用各種手段來謀求促進人際關係時，單就維持人際關係就足以讓你手忙腳亂，耗費巨大的精力。除了對擁有大量熟人感到滿足之外，你根本沒有心情或時

間去運用這些人際關係。和金錢相同地，人際關係也是為了滿足使用目的，即使看著存款簿金額愈來愈高欣喜不已，也是毫無意義可言的。

在各種促進人際溝通的手段裏，你最不會感到排斥的是哪一項?倘若你不擅文筆，不妨善加利用電話溝通，反之，也可以決定在賀年卡上下工夫。總而言之，專心致力於某一項最重要。如果各項方法都想嘗試，結果可能樣樣均告半途而廢。

為了促進人際溝通，心存「自己總是不合情理」的想法十分重要。反之，如果自認「我不論對誰都能問心無愧」，必將流露出自滿的態度。

這種人在別人稍有不合情理時，認為「居然蔑視我煞費苦心維持交情」，由此而心生不滿。而且，也會抱持「世上淨是一些不知禮法的傢伙們！」這種扭曲的正義感。如此一來，別人也將對你產生這種「好難相處的人啊」的印象。

大體說來，只因對方偶爾拒絕應酬或忘了寫回信，就嘀嘀咕咕抱怨不停的人，根本稱不上是真正的朋友。一旦感覺自己不合情理時，固然有必要利用別的場合維持聯繫，但如果彼此都各自懷抱想實現的夢想時，自然抽不出時間來逐一應酬對方。如此一來，當然會變得人際關係不佳。

然而，即使情況如此也仍能持續交往的，才是真正的人際關係。倘若必須靠刻意費工夫討好對方等方式才能維持的交情，是無法稱做人際關係的。

愉快面對誤解

如果觀察雜誌的諮詢專欄，可以發現「容易遭人誤解，感到很困擾」等人際關係方面的煩惱的確不少。事實上，平常幾乎沒交談過的人，對自己持有某種成見的情形似乎極多。

所謂「遭人誤解」，當然指別人對自己持負面印象。倘若對方持正面印象，即使這是錯誤的印象，也不會稱做誤解。人們最擔心的常常就是別人的誤解。

其實，即使遭人抱以負面印象，也不必因此感到懊惱。倘若是未曾謀面的人誤解自己時，在反作用下，一旦雙方實際碰面後，印象必定獲得扭轉。比方說，在會見神情可怕的人之前，雖然內心會產生「大概是個不好應付的人吧！」的誤解，然而一旦親自會面後，原來抱持惡劣成見的部分則會消失，反而會認為對方是和藹可親的。

在尚未碰面之前，遭受怎樣的誤解都無所謂。因為從未謀面的人不會加害自己。

而且，在公司內部經常可以聽見流言蜚語，如果不厭其煩逐一更正誤解時，自己可能會先得精神官能症。不如確信誤解必將轉化為正面印象，抱持著愉快地面對誤解的心情，反而有助於人際關係擴展。

雖然你也可能感覺到只見過一面的人似乎對你抱持誤解，但這種情形大多數只是自我認定。所以，你必須採取的第一個步驟便是丟棄這種念頭。此外，由於無意的行為或言語措辭，自認對方「大概對我產生誤解」時，下回碰面時絕對不可以迴避對方。如果迴避對方，即等於承認對方的誤解。如能大大方方地和對方照面接觸，對方也必定會立即明白自己的印象純屬誤解。而且，還有可能反過來產生好感。

你必須認清的是，只見過一兩面的對象，總有可能伴隨著某種程度的誤解。聲稱「受人誤解」的人們，可能希望自己立即獲得別人理解，然而只見過一面交談過一次而已，即使對方如此說道：「我完全理解你的為人」，肯定會認為對方未

免言之過早。「這麼簡單就遭人看穿真令人不安啊！」恐怕誰都會產生這種念頭。

即使就這項觀點而言，愉快面對誤解仍是較理想的。因為誤解的情形愈嚴重，隨著交往的進展，對方的印象也會大幅逆轉為正面印象。

做厚緣分就是貴人

佛教中有一句話：「有緣千里來相會」。意思是說今生能夠相遇，那可是前世「修」來的緣分。

不善於經營人際關係的人，會只注重拼命照應緣分厚的人。對於那些關係親密的人，照應周到，而且頗費心思；對於初次相逢或者擦肩而過的人卻置之不理。然而，讓邂逅變成長久，才是人際經營能力的最高境界。如果是天天見面的熟人，我們應該注意的性格上的融合和兼容，對於初次見面的陌生人，則需要技巧了。而且，大多數時候的大多數場合，我們碰見的全是陌生人，同時也會發現，日常生活中，能夠幫忙的人我們往往不認識。所以我們要學會把人與人之間的邂逅，做厚成

相交頗深的緣分。也許我們平常人之間的交往沒有那麼神奇，情理卻是相同的。與人交往，要抱著有心栽花的心理，努力培植關係。人與人之間的相識本來就是一場緣分，有的人過眼即逝，有的人卻永久的留在了我們的心中。「百年修得同船渡」，「惜緣」的態度，往往會意外地促成良好的人際關係。從第一次相遇到成為朋友，要走多遠多久的路呢？羅納德·朱尼博士認為人們能否成為朋友，關鍵在於他們相互接觸的第一個五分鐘。日常生活中，的確有這樣的體會，比如在旅途中，坐在你對面的人，如果你們一見面就開始交談，那麼這種交談多半會繼續下去，貫穿整個旅程。如果一開始就沒有進一步接觸的興趣，往往就會一直沈默到分開之後。所以，如果你想接近一個人，那麼不要放棄「第一個五分鐘」，在這五分鐘內，記住，要表現出友好和自信，同情和體諒。因為絕大多數人都喜歡那些喜歡他們的人。我們的人生，總是具有戲劇性的色彩，「有心栽花花不開，無心插柳柳成蔭」用來形容人的機遇真的很合適，人生總是在一個偶然的時候，一句話、一堂課都可以改變我們的生活。甚至旅途中偶然遇到的一個人都可以改變我們的生活軌跡，而且可能變得更適合我們。

有很多這樣的人，「偶然」邂逅，認識某人，然後是新的成功的路途。當然不能靠投機的心理，卻需要一顆有準備的心。有些人會關照「偶然」邂逅，有些人則不然。不相信這種相逢機會的人們，對它不會在意。懂得掌握機會的人們，平常就會做好接納偶然相逢的心理準備。機會出現時，就儘量地向對方討教，完成自己的夢想與抱負。所以重要的是，為人生一些偶然的邂逅，做好準備，貴人常在這些不經意中出現。

請學會想一想哪些人可為自己所用，不要浪費不必要的精力在那些不能為自己所用的人身上。

陌生帶來貴人

貴人在名片裏，在火車上，在聚會裏，在我們不熟悉的地方。

讓我們仔細回想一下自己的生活經歷，重大的轉折發生時，是誰產生了關鍵的決定性作用？這些人是你從家庭繼承下來的世交呢，還是成年後自己逐漸結交的朋友呢？至少有一半是我們自己創造的朋友。社會在變化，世事在演化。我們和朋友

都是由陌生到熟悉，再到深交。只有善於把陌生變成熟悉，我們的朋友才能越來越多。

俗話說：「萬事起頭難。」與完全陌生的人開始一次交談確實是很困難的。這裏有一些技巧，但願你能藉此走近陌生人。

你不要試圖談一些有深遠意義的或深奧的問題，只要談一些簡單、甚至瑣碎的問題，或評論在你身邊發生的事。你可以談談天氣，市場上的菜價，而不是國際時局，經濟走勢。講話要切中要點，不要瑣碎而辭不達意，那樣會使別人沒有耐心和你繼續談話。或許是天性使然，或者是過於認真，有的人話匣子一打開就停不了，嘴巴閉不上地講一大堆，這會讓對方感到太突然，畢竟是剛剛認識的人，而且會給人留下嘮嘮叨叨、辦事拖拉的印象。如果你發現，有兩分鐘時間自己在一直講話，周圍沒人表示出參與的興趣，就應該停止自言自語，切忌唱獨角戲。少談自己，多談別人。謙虛是種美德，至少在聊天時是這樣。總是吹噓自己驚人的豐功偉業和聰明的才智，別人見到你會只想轉頭。如果交談中雙方有觀念差異，一定要避開不談，否則你們會陷入僵局。在這種場合裏談話是很輕鬆的，沒有人會有興趣聽陌生

人講心得體會或批評時政，那實在很無聊。聽到誇獎，要表現出謙虛。聽到不順耳的話，也不要表現得不在意。在回答問題時，要表現得友好。

我們總是要接觸太多陌生人，來完成自己的事業，成功的交往也許會帶來好運。希望我們的溝通技巧能夠開始一段美好的友誼。

一匹好馬可以帶領你到任何你夢想不到的地方，一個好朋友可以帶你實現自己的夢想。一次，哈威・麥凱在一項募捐活動中見到總統的女兒。在接待隊伍中見到這位年輕女孩大約五秒鐘，他不能確定她是誰的女兒。因為杜魯門、羅斯福、甘迺迪、詹森、雷根、布希及柯林頓，都至少有一個女兒。如果唐突的問：「你是哪位總統的女兒？」簡直就是世界第一號大傻瓜了，那會多尷尬。麥凱的事業需要總統女兒的幫助，所以他又不能錯失這個機會。他只是簡單地說，在她父親選舉時，自己曾幫助過他，最後把自己的一票投給了他的父親。人們認得總統，卻不一定記著他們的諸多子女。能夠被認出來，並且是自己父親的投票人，心理上先接近了不少。麥凱的事情成功了。這位總統的女兒幫了他。對方的舉手之勞，卻是麥凱一生的成功。

有一位年輕的壽險推銷員傑克。他來自藍領家庭，他有一個愛好就是壘球，他的夥伴也主要是由壘球隊友組成。一位叫華特的先生是個很優秀的保險顧問，而且擁有許多非常賺錢的商業管道。華特在一個富裕的家庭中長大，他的同學和朋友都是學有專長的社會中堅。兩人的世界根本就是天壤之別。所以在保險業務上也是天壤之別。傑克沒有網路，也不知道該如何建立網路，如何與來自不同背景的人打交道，而且少有人緣。後來，傑克參加了人際關係培養的課程訓練，利用培訓中獲得的指示，傑克開始和華特建立了良好的人際關係，並且認識了越來越多的人，事業上的新局面自然也就打開了。

第三節　結交貴人的途徑

> 永遠不要做一個旁觀者或者局外人。

天下如果有飛不起來的氣球，那是因為它沒有被打氣；天下如果有一輩子都不走運的人，那是因為他沒有足夠的人緣基金！生命中如果沒有一個貴人出現，就會是艱辛而沒有收穫的。能夠對你有所幫助的人，不是毫無機緣地就會出現。人脈資源網路的建設需要你用心地尋找和發現，需要積極主動地投入和參與。

主動尋求機遇

有人可能憑機遇獲得一份好差事，但卻不能憑機遇去確保它。只有專注於工作本身，為理想充實自己的人，才會遇到真正的機遇。

機遇不是僥倖得來的，由學徒發展成洲際大飯店總裁的羅拔・胡雅特，他的經

歷有很多值得相信「機遇」的青年人仔細回味的地方。

胡雅特是法國知名的觀光旅館管理人才。可是他當年初入這行時，不僅對這一行懵懂無知，而且還是帶著幾分勉強的心情。因為那完全是他母親一手安排的，胡雅特一點也不感興趣，但也沒有反對的意思，只是渾渾噩噩的。這樣的工作方式，當然談不上機遇不機遇。

剛進去的時候，胡雅特很不適應，便想離開，但他母親認為，抱著憐憫自己、同情自己的心理，改變主意，以後就會形成習慣，一遇到困難就打退堂鼓，最終將會一事無成。胡雅特最後還是回到訓練班，結果以第一名的成績畢業，並僥倖進入羅浮的關係企業——巴黎柯麗瓏大飯店。

胡雅特進去是當侍應生，但他知道，觀光大飯店，接待的是各國人士，必須有多種語言的能力，才能應付自如。於是，他在工作之餘，開始自修英語。三年之後，柯麗瓏大飯店要選派幾個人到英國實習，胡雅特被錄取了。

在英國實習一年回來後，胡雅特由侍應生升為了領班。接著，就獲得一個機會到德國廣場大飯店實習。胡雅特到德國後不久，正趕上二十世紀三〇年代的經濟不

景氣，觀光客的人數跟著銳減，大飯店的經營非常不容易。他利用廣場大飯店過去旅客的資料，動腦筋設計出一些內容不同的信函，分別寄給旅客，使廣場大飯店平穩地渡過了這段艱苦的時期。他這些函件，其中有四百多封，直到現在還有不少觀光業作為招攬客人的範本。

這時候，胡雅特已經具備英、德、法三種語言能力，但一直沒有機會去美國看看，於是決定請假自費到美國看一看。經理卻決定特准予他公假，以公司名義派他去美國考察，一切費用由公司承擔。

胡雅特一到美國就去拜見華爾道夫大飯店的總裁柏墨爾，並把經理的親筆信交給他，請他給自己一個見習機會，並要求從基層做起。

胡雅特真的從擦地板開始做起。胡雅特的做法，給他帶來了好運。有一天，華爾道夫的總裁柏墨爾到餐廳部來視察，看到胡雅特正在爬著擦地板。他跟這位來自法國的青年見過一面，印象頗為深刻，見他在擦地板，不禁大為驚訝。

「你不是法國來的胡雅特嗎？」柏墨爾走過去問。

「是的。」胡雅特站起來說。

「你在柯麗瓏不是當副經理嗎？怎麼還到我們這裏擦地板？」

「我想親自體驗一下，美國觀光飯店的地板有什麼不同。」

「你以前也擦過地板嗎？」

「我擦過英國的、德國的、法國的，所以我想嘗試一下擦美國地板是什麼滋味。」

「是不是有什麼不同？」

「這很難解釋，」胡雅特沉思著說，「我想，如果不是親自體會，很難說得明白。」

柏墨爾的眼睛裏，突然閃起一道亮光，用力注視了他半天，才說：「你等於替我們上了一課，羅拔，下班後，請到我辦公室來一趟。」

這次的相遇，使胡雅特進入了美國的觀光事業。從此以後，胡雅特的事業蒸蒸日上，一直幹到洲際大飯店的總裁，手下有六十四家觀光大飯店，營業範圍伸到世界四十五國。

從這些知名成功人士的身上，我們最能明顯看到的優秀品格就是：超人的交際能力。善於結交朋友，建立有效的社交圈，尋求前輩們的指導，對每個人來說都是基本的職業技能。

你必須和主流文化的人們自然和諧地相處。你必須充滿自信地參與社交活動，接受人們對你表示出的友好，最重要的，向別人主動展示你的好意。

發掘對方關心的事物

紐約有家著名的麵包公司——迪巴諾公司，可是紐約的一家大飯店卻一直未向它訂購麵包。四年來，迪巴諾每星期必去拜訪大飯店經理一次，也參加他所舉行的會議，甚至以客人的身份住進大飯店。不論他採取正面攻勢，還是旁敲側擊，這家大飯店仍是絲毫不為所動。迪巴諾回憶當時的情形說：「我下定決心，不達目的決不甘休。我想我應該改變一下以前使用的策略，就開始調查他所感興趣的事情。」

「不久，我發現他是美國飯店協會的會員，而且由於熱心協會的事，還擔任了

國家飯店協會的會長。凡協會召開的會議，不管在何地舉行，他都一定乘飛機趕去。」

「第二天，我去拜訪他時，就以協會為話題，果然引起了他的興趣，他眼裏發著光，和我談了三十五分鐘關於協會的事情，還口口聲聲說這個協會給他帶來無窮的樂趣。他還準備擴大內部組織，又極力邀請我參加。」

「我和他談話時，絲毫不提及麵包。幾天後，飯店的採購部門來了一個電話，讓我立刻把麵包樣品和價格表送去。我有些喜出望外，準備好了東西，就趕到飯店。採購組長在談正事之前，笑著對我說：『我真猜不透你使出什麼絕招，使我的老闆那麼賞識你。』我真是哭笑不得，想想我迪巴諾麵包公司並非無名，我向他推銷了四年的麵包，但連一粒麵包渣都沒有售出。如今我僅是對他所關心的事表示關注而已，形勢竟完全改觀。如果我依然沒有發現他所關心的事，恐怕現在仍是跟在他身後窮追不捨呢！」

牢記別人的姓名

也許你曾經抱怨：「我的記性太差了，剛見過一個人，眨眼就忘了他的名字。」其實，並不是你忘了人名，而是第一次見面時，你根本沒有認真聽清對方叫什麼。

記憶名字與辨認面孔是認識人必不可少的兩個方面。如果只知其一不知其二，就會出現人名與本人對不上號的現象。

姓名是最甜蜜的語言。

吉姆沒有受過高等教育，卻在四十六歲時得到四所大學贈予的榮譽學位，並成為民主黨全國委員會的負責人，最後爬上了美國郵政部長的寶座。因為他有個專長——一次見面，就能牢記對方的姓名。

吉姆在身居要職之前，是一家石膏公司的推銷員，就在這個時候，他發明了牢記別人姓名的方法。這個方法很簡單，他與別人初見，就將對方的姓名、家庭情況、政治見解等牢記在心，下次再見面時，不論相隔半年或一載，都能問問對方家

裏人的情況及庭院裏的樹長得怎麼樣了之類的問題。難怪認識他的人都喜歡他。

吉姆早就發現，一般人對於自己的姓名十分關心，如果有人記得對方的名字，就會使對方產生莫大的好感，這比無聊的奉承話更具說服的魔力。相反的，忘記或寫錯別人的名字，很可能招致意想不到的麻煩。

對方若是顯要人士，就更應用心記住。自己空閒時，就在筆記本上寫下別人的名字，集中精神記憶。拿破崙三世記名字的辦法，是用心、手、眼、耳、嘴。雖然比較麻煩，卻很有效果。說出對方姓名，這會成為他所聽到的最甜蜜、最重要的聲音。

判斷對方的「閃光點」

心理學研究顯示：情感引導行動。要使別人對你的態度從排斥、拒絕、漠然處之到對你產生興趣並予以關注，就需要引導、激發對方的積極情感。「投其所好」實際上就是這樣一個過程。尋找對方的「興趣點」，發現對方的「閃光點」。

伊斯特曼曾在洛克斯達城捐造「伊斯特曼」音樂學院和「凱伯恩」劇院，

用來紀念他的母親。紐約某座椅製造公司經理艾特森，想得到該劇院座椅的訂單，於是他就和伊斯特曼約會見面。

一位工程師告訴艾特森說，伊斯特曼的工作極忙，每次訪問佔用的時間不能超過五分鐘。艾特森也準備如此。

他被引進總裁辦公室時，看見伊斯特曼正埋頭於桌上堆積的檔案之中。聽見有人進來，他抬起頭朝來訪者說道：「早安！先生，有什麼事情嗎？」

經介紹後，艾特森說道：「伊斯特曼先生，當我在外面等著見你的時候，我很羨慕您的辦公室，假如我有這樣的辦公室，我一定很高興在這裏面工作。您知道我是一個本分的小商人，從來不曾見過這麼漂亮的辦公室！」

伊斯特曼答道：「您使我想起一件幾乎忘記了的事。這房子很漂亮是不是？當初蓋好的時候我極喜歡，但現在，我忙的甚至幾個星期坐在這裏也無暇看它一眼。」

艾特森走過去用手摸壁板，說道：「這是英國橡木做的，不對嗎?和義大利橡木稍有不同。」

伊斯特曼答道：「對了，那是從英國運來的橡木。我一個朋友懂得木料的好壞，他為我挑選的。」隨後伊斯特曼領著艾特森參觀了他自己當初幫助設計的房間配置、油漆顏色、雕刻工藝等等。

當他們在室內誇獎木工時，伊斯特曼走到窗前，非常親切地表示要捐助洛克斯達大學及市立醫院等機關一些錢，以盡心意。艾特森熱誠地稱許他這種慈善義舉的古道熱腸。他們的談話遠不止五分鐘，最後艾特森不僅得到了那筆桌椅合同，還與伊斯特曼成了好朋友。

抓住身邊的機會

許多人抱怨沒有機會，實際上他們有許多機會，只是需要他們在周圍和種種潛力中，在比鑽石更珍貴的能力中發掘機會。據統計，在美國東部的大城市中，至少九四%的人第一次賺大錢是在家中，或在離家不遠處，而且是為了滿足日常、普通的需求。對於那些看不到身邊機會，一心以為只有遠走他鄉才能發跡的人，這不啻當頭一棒。

一夥巴西牧羊人前往美國加州淘金，隨身帶了一把透明的石子用來路上玩西洋跳棋。到了舊金山，石子大都被扔掉了，他們才發現這些石子是鑽石。他們急忙趕回巴西，而出產石子的地方已被其他人佔有並出售給了政府。

內華達州最高產的金銀礦曾被礦主以四十二美元的價格售出，以便籌錢前往其他礦區去圓自己的發財夢。

一個農夫有一處幾百英畝的農莊，裏面淨是些石頭和不值錢的樹，他決定把農莊賣掉去從事更賺錢的石油買賣。他開始關注煤層和石油，並進行了長時間的研究。他把農莊以二百美元的價格賣掉，然後跑到二百英里外的地方開展新業務。不久，買下農莊的人在農莊裏發現了大量石油，而以前那個農夫不知道其價值卻千方百計想把它賣掉。

你準備好迎接自己的機會了嗎？

把一塊固體浸入裝滿水的容器，人人都會注意到水溢了出來，但從未有人想到身體在水盆中的體積等同於同體積水這一道理，只有阿基米德注意到這一現象，並發現了一種計算不規則物體體積的簡易方法。

在歐洲，沒有一位水手不曾對大西洋彼岸充滿遐想，但只有當哥倫布大膽地駛入茫茫大海，才發現了新大陸。

從樹上落下的蘋果不計其數，經常砸到人們頭上，彷彿促其思考，但牛頓是第一個領會到蘋果落地與行星依軌道運行是受同一規律支配的人。

有人到一位雕塑家家中參觀，看到眾神之中有一位臉被頭髮遮住，腳上長著翅膀的雕像，便問：「他叫什麼名字？」

雕塑家答道：「機會之神。」

「為什麼他的臉不露出來？」

「因為當他到來時，人們很少認識他。」

「為什麼他的腳上長著翅膀？」

「因為他很快就會離去，而一旦離去，就不會被追上。」

「機會女神的頭髮長在前面，」一位拉丁詩人也說過，「後面卻是光禿禿的。如果抓前面的頭髮，你就可以抓住她；但如果讓她逃脫，那麼即使主神朱庇特本人也抓不到她。」

不要坐等機會，要創造機會，就像拿破崙那樣多少次使自己絕處逢生，或者像牧羊童費格森那樣用一串玻璃計算星星之間的距離。對於懶惰者來說，再好的機會也一文不值；對於勤奮者來說，再普通的機會也彷彿千載難逢。

機會總是隱藏在周圍瑣碎小事裏，抱怨是沒有用的，從最基本的小事做起，把握住每一個可能的機會，再平凡的你也能做出不平凡的事來。

哪裡的人際最美麗

如果你想去讀ＭＢＡ，便會碰到了類似的選擇：是去國外商學院讀個洋ＭＢＡ，還是在自家門口讀ＭＢＡ呢?洋ＭＢＡ當然不論從聽起來還是用起來都足以讓未來的商界精英動心，但是，金錢是個很大的問題，據統計，在美國的商學院攻讀兩年ＭＢＡ大約要花十萬美元。對普通人來說，這實在是一筆昂貴的、咂舌的費用。而在國內，最多也就幾十萬元。全球排名前二十名的ＭＢＡ學校大都在美國、英國等國，但他們ＭＢＡ教學的師資、設備、課程的先進性、新穎性以及實用性都大大勝出國內一籌。另外，在國外讀ＭＢＡ不僅可以擁有國際學習的經歷，開闊視

一個人賺的錢，
12.5%來自知識，
87.5%則是來自於關係。

野，更重要的是可以擁有一批非同一般的人際關係。很多人認為，讀MBA七五%的作用在於可以建立起強大的人際關係網，因為就學期間的同學大都是頗有實力和決定性作用的人物，他們都是業內的佼佼者，這些關係都是不可多得的財富，他們今後可能獲得更大的發展，這就會為你的事業帶來幫助。在自家門口讀MBA可以建立起實用的人際關係網。在國外讀MBA，同學會遍佈全世界，為將來進入全球化性質很強的領域，比如銀行、投資等領域，會提供強大的資源。MBA學習最重要的功能之一就是結識一批「頂尖的人物」——本行業的精英們可能都坐在你的課堂上，進而建立寬廣深厚的人脈，同班同學、校友就是自己經營未來事業的支撐。如果沒有這一點人脈支持，MBA就會貶值很多，這就是名校MBA最大的魅力。一個世界級的人脈網是千金難買的財富。儘管這會花費很多金錢，犧牲很多與家人團聚相處的時間。

一流大學的魅力相當程度上來自於她的人脈圈子，如果就讀於最好的大學，你必然會結識一批你這個時代最傑出的年輕人。這就是，為什麼我們翻開歷史會有那麼多名人都是校友，都是同學。這也就是我們所說的名門望族。

諾基亞、易立信……越來越多的世界級知名企業都相繼開辦了ＭＢＡ學習班，目標鎖定公司高級管理階層和政府要員。企業投入這麼大的精力和金錢，難道真的是僅僅為了讓員工們獲得一些先進的管理知識嗎？如果單純是這樣，完全可以把他的員工送進學校，而不是自己開辦課程。究其原因，其實這是種新型的公關策略——建立一個強大的權力人際關係網。

這些企業的經理和負責人在接受記者採訪時紛紛表示，「當今各個行業的競爭非常激烈，而且不僅僅是資源上的競爭，人際關係已經越來越重要。一個成功的ＭＢＡ學習班，往往聚集了某個行業的領軍人物，生意場打交道的人就是這些人，學習班為大家提供了一個非常自然、而且沒有任何地位和能力歧視的交流機會。這些人就成為日後彼此發展的人脈。

很多人看了參加企業商學院培訓的名單後都會驚歎，有絕大多數人都是他們生意上或者潛在生意上的合作夥伴，能在一起學習對每個人的好處是不可估量的。另一個方面，各大公司也非常希望與客戶們保持良好的互動互利關係，校友資源是潛在的財富。越來越多的企業逐步重視起ＭＢＡ教育的人際關係效應。越來越多的企

業不惜花費大量金錢構築自己的「人際關係網」。有些企業的商學院是花錢請人來上課的，班上很多學員都是免費的。他們服務的對象是中高級的管理階層，因為企業最願意那些最能影響企業發展的人參與這種教育。校友是一種人際資源，只要是資源就不可能是免費的，但是一旦有了這個可靠的、能發揮作用的關係網，這對公司來說，就是發展的利器之一。

跨越文化禁區

隨著全球經濟日益融合，來自世界各地的人們會在不同的國家和地區從事跨國商務活動。國際商業最根本的一個人際交往特徵就是——我們面對的人們都來自不同的文化背景，都有自己的民族和傳統習慣，而我們通常對這些人文和風情不瞭解，所以國際人際關係的一大挑戰由此產生。在跨國企業裏，我們的同事分別來自不同的民族，具有不同的甚至完全衝突的信仰、宗教和價值觀。於是，無論工作還是生活上，跨越文化的敏感區就是一個必須的人際交往能力。如何在不貶低雙方的前提下，與具有不同價值觀的人融洽相處，以致互相幫助對人脈建設是非常重要

的。曾經有一位歐洲女性在沙烏地阿拉伯擔任一家合資的石油公司的經理。在沙特，只要外出，她都會要求有一個有血緣關係的親戚或她的丈夫陪伴，因為按照當地風俗，她不能單獨旅行。她必須和當地的平常婦女一樣，謹慎自己的衣著，小心翼翼地裹住自己的手腕和腳踝。當她會晤外人時，會戴著傳統的沙特面紗。儘管她來自完全不同的異國文化，具有完全相反的生活價值觀念，但在瞭解了沙烏地阿拉伯的女性角色後，她改變了自己一貫的工作方式。也許她自己並不一定具有與當地居民相同的價值觀和宗教信仰，但她的一舉一動顯示了對沙特文化的尊敬，進而為自己、公司贏得尊重。也因此在沙特順利進行自己的生意和事業。

積極參與社交

建設人脈的前提首先是認識更多的人，我們大多數人都是生活在一個既定的生活圈子內，只要留心，看看自己的生活範圍，是不是在很長時間內都沒有什麼變化——既沒有增加新的朋友，也沒有新類型的社交活動。更經常的情況是，一年年過去後，我們交往的依然是熟悉得不能再熟悉的人，出入的是閉上眼睛都想得出路的

地方。這樣的生活很舒適，沒有陌生人的地方，我們可以充分放鬆自己，因為陌生的環境和陌生人總會因為「不瞭解」而給我們造成心理上的緊張。這種情況，從我們離開父母求學時期，就開始了。在面對一個全新的環境，不同的面孔，不同的生活習慣，那種陌生和因之而來的寂寞相信在每個人心靈上都留下很深的印象。但人脈建設就是要跨越這種熟悉帶來的「舒適地帶」——轉而開創一個更新、更廣的生活圈子。介入陌生人的世界，可以有很多方式，既可以主動加入，也可以被動接受。主動的形式可以是，主動參加各種聚會、社團、俱樂部等團體；被動的方式最常見的是，旅途中，我們必須學會和陌生人相處。

採取主動的姿態參與各種社交活動是拓展交際圈子的一個必然途徑。我們可以選擇一個社團。加入一個集郵社，一個健身俱樂部，一個舞蹈團體，棋牌俱樂部，任何一個團體都可以，然後活躍其中。選擇自己喜歡的就好，認識裏面的人，然後建立你的網路。參加慈善活動，並不一定要像泰瑞莎修女那樣，把所有空餘時間花在為盲人讀書。常常和朋友到酒吧逗留，如果你是一位女性，常參加週末社區裏的婦女們主辦的美容或者烹飪沙龍，也可以得到意外的收穫。不論是什麼形式，可以確定的是，許多有用的閒話就在那兒散佈，友誼和羅曼史也常常在那裏產生。任何你能想到的地方，都是建立人際網的一個絕佳場所。

第四節　提升自己

如果你想成為傑出的人，先認識傑出的朋友。

如果我們自身沒有什麼可取之處，不能獨當一面又怎能獲得貴人的青睞呢？如果一生依靠貴人的提攜而不去自我發展，只能永遠屈居人下。適時脫離自己的貴人，尋求更高層次的自我發展空間，展現在我們眼前的將是更美好的前景。人生的道路是自己走出來的，貴人對於我們可以抽象化成一種工具。所以我們要說，結交朋友的前提是培養自己，提升自己的氣質，改善自己的交際。如果你希望獲得一個超人的人脈圈子，那麼照著下面的建議去做，你會有意想不到的收穫。

樂於結交朋友

職業生涯標籤是要拿出來在職場和社會中展示的。許許多多的調查都無一例外

地發現，只要是事業成功的人，都擁有超出常人的社會交往，他們經常參加各種的研討會、交流會、論壇、行業展覽會，處處展示著「積極入世」的態度，不斷結識比他們更加優秀的同行、潛在的客戶、未來可能的雇主。他們善於適時適地而恰到好處地展示自己的過人之處，給大家留下良好的印象。

原來在國內某大型電子企業集團附屬企業中擔任中層經理的小許，平時喜歡結交各行各業的朋友，交往甚廣，樂於助人，待人真誠友好，業務上當然也很出色，加上平常廣泛的人脈圈子，給他的事業莫大的推動。一次，小許參加一次業界內的技術交流活動，結識了一位獵人頭公司的資深顧問，小許得體、出色的表現深得獵人頭顧問賞識。一個月之後，該獵人頭顧問聯繫到小許，並極力舉薦他到著名的跨國企業——法國「古戎」公司任職，小許因而一躍升任古戎公司亞洲區總經理，薪金收入增加十倍以上，因此獲得的地位和職場人氣的迅速提升，給小許的未來事業又增添了無數人脈資源。人脈和事業是個良性循環網路，他們彼此相長。如果不是廣泛的社會交往，頻頻出入各種社交場合，哪來如此天賜良機。

還有，與人交往一定要抱著永遠做朋友的信念。回想一下自己到目前為止的朋

友，的確有許多已經成了過眼的煙雲。儘管離開或者疏遠的朋友不少，但與人交往一定要心誠，要有和對方做長久朋友的信念。那種「過河就拆橋」的心態萬萬要不得。人和人之間的交往是個反反覆覆的過程，不是一錘子的買賣。只有長久的朋友才能成為真正的朋友。在人際關係上投機，無異於騙子，將會自食苦果。

所以我們要樂於結交朋友。無論何時何地，如果有人想主動結識你，絕不要當場立刻拒絕，而是馬上做出友善的回應，向對方展示你的友善和真誠。永遠記住，多善待一個希望結識你的人，你就多增加一份人脈並可能因此多得一次事業良機。

自信是最好的內容

自信是社交最需要也是最有效的內容。培養自信的品格、超群的溝通能力、學習適時讚美他人的能力，這是成功社交必備的素質和修養。如何才能有效率的提升人脈競爭力?黑幼龍指出，提升人脈競爭力有許多技巧，但是，最重要的前提是，一個人必須首先具備自信與溝通能力。心理學上有個術語，舒適圈（comfort zone），指人們在不同場合中感覺到自在的程度。一個不自信的人，舒適圈就很

小，儘管面對陌生人，人們都會有各種不同程度的不自在，總是怕被拒絕，對抗這種社交緊張症的最根本方法是培養自信的品格。一個人如果很不自信，他就不願意走出去主動與人交往，更甭論要拓展人脈了。在雞尾酒會、婚宴、聚會等社交場合，西方人在出發前，都會先吃點東西，並提早到現場。因為他們知道那是認識更多陌生人的機會，他們希望藉此機會認識更多的朋友。但在華人社會裏，也許是我們文化賦予了我們含蓄的性格，大家對這種場合有些害羞，總是儘量去得晚一些，而且還盡力找認識的熟人交談。在我們的聚會上，經常看到的是好朋友約好坐一桌，以免碰到更多陌生人。因此，「儘管許多機會就在你身邊，但我們總是平白地讓它流失」。

溝通能力是社交最根本的武器。有關專家指出，所謂的溝通能力，就是了解別人的能力，包括瞭解別人的需要、渴望、能力與動機，並給予適當的反應。我們周圍總有一些人比別人要有更大的瞭解別人的能力，他們總是知道很多你不知道的事情，認識許多一般人不認識的人。瞭解他人最佳的管道是傾聽，傾聽是瞭解別人最美妙的法寶。這是個溝通的時代，而不是比聲音與拳頭的時代。通過溝通，人際衝

突能平和化解。最重要的是溝通教會你如何找到共同點、折衷點，使敵人成為朋友，使對手成為夥伴。如何溝通是一門學問，我們沒有萬能的鑰匙，卻有真心的建議：共贏是最根本的原則，微笑是最佳的介紹信，自信是最堅實的基礎，讚美是最有效的通行證。

也許下面這段話對你會有幫助：

「就像解決很多與信心有關的問題一樣，克服社交恐懼症最好的辦法是將病人逐步地、有系統地暴露在會讓他們感到某種焦慮的社交場合之中；這種方法就叫系統去敏作用。」心理學家羅伯特・夏洛克解釋說，「社交場合也可以分成三六九等，你要從最簡單的入手，然後過渡到最費神費力的。目標的逐漸實現能給你帶來成就感。排斥社交活動的問題就在於無法面對社交壓力所帶來的焦慮感，這種感覺也因此長年累月得不到解決。最後，由於這種人在工作上會養成例行公事的習慣以便減少和社會的接觸，導致情形更加惡化。患強迫症的會計師和保險精算師就是這種人的榜樣（必須承認，這種想法也帶有點社會成見）。」

克服社交恐懼

其實，每個人都有一套積累人脈的方式，每個人接待人的特點和方式都不同，但是有一點可以肯定，善於社交的人必然是個自信、開朗的人；一個靦腆、保守的人很難打入新的社交圈子。與陌生人相處，一定要顯得自然，才不為難自己。

給喜歡獨處的人的建議

一、先從你的家人和朋友開始，更深入地瞭解他們，他們是你接觸最多、最瞭解你的人，也都是能讓你覺得和他們談話是愉快的人。先從他們開始，你會發現他們會對你知之更多。你也會獲得他們心靈深處更多的東西。

二、試著忘記這樣的情形：你是為了找到一份薪水更高的工作、進一步擴大自己的事業才與人交際的。至少在剛開始認識一個人的時候，先打消這個念頭。

三、避免毫無意義的閒聊，那樣只會浪費你和對方的時間，惹得對方討厭。

四、做一個專心他人談話的傾聽者。

五、要充滿熱情和渴望——如果你所談論的事情能使你情緒高漲的話，你就會忘了緊張。

六、試著向別人述說你的故事，坦誠而真心地向別人徵求意見和建議，沒有人能夠拒絕一個虛心而真誠的求教者。

七、鼓起勇氣，獨立地去安排一場會議。為了這場會議獲得成功，你必然會不時地向所有能給提供你建議和幫助的人打交道。會議結束後，看看你自己說了多少話，成功地與多少人溝通了。

八、只要有機會，就多和陌生人講話，當然前提是不要讓對方覺得你很無聊。

九、在你平時關係薄弱的地方開始重新起步，經營你的人脈。

十、學會在適當的時候三緘其口。沈默是金。要學會保持沈默而且看起來機智——別人自然以為你知道的比實際還多。因說話不小心而自毀前程的人，比因為其他任何原因喪失成功的人都多。不要講別人的閒話，不要談論你自己的大計，守口如瓶所贏得的聲譽，遠遠比講人閒話所帶來的東西更加珍貴。你越希望成功，這一點就越重要。

十一、不斷超越自我。拓展人脈是一個不斷超越自我的過程。認識陌生人，就意味著要跨越自己的舒適圈，做更多沒有做過的事。為了克服這種陌生帶來的緊張感，一開始可以先做一些自己感到舒適的事，然後再從事更難一些的事。不要把自己逼到底，反而讓人只看見並記住了你單調的表情和僵硬的笑容。

十二、自私是一切不幸與過失的泉源，自私者都會失敗。大方首先是思想上、品行上能容人。其次是經濟上不要和朋友斤斤計較。很多原本交往非常不錯的朋友，因為經濟利益而反目的例子實在是太多了。所以，對待朋友要寬容、大方。

我們知道，生活中的確有一種人，生性不喜歡和別人相處。他們喜歡獨立思考、自主自立的工作方式，通常會給人以淡漠甚至自大的印象。在分析商業上公事的時候，他們是一群高度理性的人，思維嚴謹，邏輯性強。他們一般只是在必須的時候才和他人交往，他們的人際交往帶有明顯的目的性。當然必要的時候，他們也還是可以開拓自己的人際關係網的。他們大多從事財政、金融和計畫方面的工作。

如果你具有這種人的特徵，不妨試試我們提供的幾條建議。

害怕被拒絕的心理常常困擾著許多人。交際和做人、做事　樣，會遇到許多難

題。所以，一開始的時候，請在你「舒適圈」裏面，多下一些功夫，不要去勉強行事。勉強做的事，只能得到不盡如人意的結果。你與人交際，要讓別人全身心地感受到你的投入之情。人害怕建立網路的原因便是，他們不想被拒絕。然而，說「不」其實是第二好的回答，至少你知道你的立場。

以開放的心態容納朋友

如果你想有更多更好的朋友，就應該養成開放寬容的心態。這個世界上每個人都具有與其他人不完全一樣的性格、氣質、愛好、秉性和思想，性格沒有誰好誰壞之分。不能因為一個人與自己的性格不一致，就疏遠甚至排斥他。人們本來就是互不重複的個體，也許我們每個人都碰到過自己看不慣、討厭的人，但是多年以後，我們還會發現他們生活得和我們一樣美好，甚至更好。給人的性格貼上三六九等的標籤是最愚蠢的行為之一。

開放的心態還包括，要勇於接受朋友們的意見和批評。只有善於吸收意見的人，才能成長得最快。我們建設人脈的目的之一就是為自己增加發展的外力，能夠

為自己提意見的朋友是世界上最珍貴的朋友。處處尋找朋友，尋找朋友們的建議，才是理性和成熟的表現。知道如何、從哪裡獲得支持和建議是人生的智慧之一。

那麼從哪裡開始著手好呢？首先，是你的父母，父母是孩子最好的老師。他們不但給你生活上的忠告，提醒你常常刷牙，多吃青菜和雜糧，而且教給你人生最初的社會體驗，至少有一半的社會生活常識來自父母，尤其是在幼年時期。其次，就是你的朋友，朋友對我們的作用，每個人都深有體會，分擔使父母擔憂的而不能告訴他們的憂愁，分享同齡人的歡樂。我們的成長總是和朋友交織在一起。當我們成年後，還有許多專業的家庭顧問人員，比如律師、銀行家，還有親戚、老闆——任何年長、經驗老道、有豐富管道的人，每次當你多認識一個人時，都會從中得到一個更新的觀念。它們真的就會啟迪你的思維，因而改變你的人生。所以，你必須時時記著，多交益友，同時你必須對每一個觀念都抱持開放的心態。

能夠有接受建議的心態，還需要有獲得建議的方法，才能夠真正找到你需要的。要獲得對方的幫助，就要能夠與對方溝通，要溝通就必須使用對方能聽懂的語言。也許你認為這實在是多此一舉，還用說嗎，當然要使用對方聽得懂的語言。

有這樣的一則笑話：

一天，有位銷售員開車行駛在鄉間道路上，剛剛下完雨的路上，泥濘不堪，坑窪不平，結果，一不小心車子被卡在水溝裏。他只好向一位過路的農夫求助，農夫將他那雙瞎眼的騾子「阿毛」，拴在銷售員的車上，然後向空中揮舞著鞭子，大聲喊著：「走，山姆，快走！」但沒有動靜；於是他又揮了一遍鞭子：「走，傑克遜，走！」仍然沒動靜。接他輕輕打了一下騾子，說：「阿毛，走！」阿毛將車子從溝裏拖出來了。銷售員於是問農夫：「前兩次的『山姆』和『傑克遜』是怎麼回事？」農夫說：「它如果認為自己無法提供任何幫助，根本連試都不想試！」

所以，「入境要隨俗」，講對方習慣的語言。

建設受歡迎的性格

俗話說：「千人千面，各人各性」。有一種人儘管有很高的社交要求，他們仍然會覺得和別人交際來往會讓他們心神不寧，帶給自己莫名的緊張。這種人一般

比較情緒化，敏感、重感情。他們有能力結交情深意重的長久朋友，但是最初的交往總是讓他們感到萬般為難。鍛鍊自己的「鈍性」可以使得他們在人際交往上可以得到長足的改善。

在華人社會裏，一談到人脈，很多人都會認為這是和講人情、走後門一樣的含義，總有點上不得檯面的意思，抱有這種思想的人就實在是太落伍了。縱觀學校教育，從小就只重視專業技能，忽略人際交往。孩子長大後，就會形成所謂「知識的巨人，人際的白癡」。一個卓越的人，必然是一個心智健全的人，我們的社會需要的是懂得世事常情的「人」，而不是唯讀聖賢書的「呆子」。還有，希望人際關係成功的人應該注意克服這種心理：我既沒有顯赫的背景、漂亮的身材，性格又古怪、家裏沒有錢、口才很差、我根本就不會招人喜愛的。諸葛亮說過，「不宜妄自菲薄」。人際建設首先要建設自己的性格，改變陳舊的觀念。再者，就是要克服害羞的心理。人都是被自己打敗的，有些人總是被自己想像的各種可能的尷尬場面嚇倒。你想擴展人際關係，與其為自己生性害羞感到慚愧，不如承認自己確實害羞。害羞的人總是以為別人說話做事要比自己得體的多，其實人和人之間的差距沒

有多大，敢於開口，勇於說話，交際往往就成功了一大半。其實，太多時候，你總是覺得他們還沒有你說得好呢！

要有接觸那些不太好接近的人的動機和努力。害怕難親近類型的人是毫無必要的。世上有一種類型的人，脾氣比較古怪，無論何時都板著一副不和悅的面孔，或是擺出一副難以親近的態度。這些人一般有兩種情況，一種是生性高傲，令人敬而遠之；一種是故意裝腔作勢，令他人難堪。所以儘管你滿腔熱忱期望結識對方，卻因摸不清對方心態而缺乏勇氣。而且，看起來神情不和悅的人，大多數的情況下，只因為天生個性害羞，無法完美地表現出平易近人的氣質，而很少是充滿惡意的人。比起輕易能接近的人，難以親近的人中反而好人更多。其實，溝通是消除陌生的惟一方法。愈難親近的人越值得信任。大可不必忐忐忑忑，即使你們的交往失敗了，責任多半不在你，不要因此給你的交際留下陰影。你只要本著正常的交友規則與他們相交就可以了。說不定還真有緣分呢！

交一些年長的朋友

二、三十歲的上班族，大都處於一邊為他人效命一邊學習的階段，還無法完成自己想做的任何事情。這個階段中最重要的事情之一就是，培養能協助自己完成抱負的人際關係。年輕職員應該注意平時不斷認識富有經驗和學識的、年長的朋友。你的上司為你介紹認識的新人，即有可能就是你未來的新機遇，人際關係便可因此不斷獲得擴展。這樣，當你需要建議時，就可以聘用你需要的人際關係網。當你的新工作需要一個強而有力的推薦信時，五年前的大學教授可能就是你的最佳人選。藉助年長者的資歷和經驗，你就可以提升自己的人際關係網。

和年長者結交朋友，不要阿諛奉承，你那點動作他看得太多了。採取平常結交朋友的態度，逐步建立彼此情誼，才是最好的辦法。只有平等互利的交往，你才可能和對方成為真正沒有利害關係的忘年交。與年長者交往的首要一點是懂得順從，你給足他面子，他就會給你機會。

來自一個下層百姓家庭的傑克，本想靠著一份微薄的薪水，半工半讀來念完大

學，但他還是需要找第二份工作。在報紙上看到一份鋁製鍋具直銷工作廣告，傑克於是去應徵。產品的目標客戶是第一次離家在外的年輕職業女性。傑克很快便瞭解到，推銷成功還需要其他更重要的東西。他工作努力，主動學習，悟性高，重要的是人緣也很好。後來他成了一個成功的推銷員。傑克的每一通推銷電話一定能多製造三條通路。

畢業後，傑克正式踏入銷售這一行。他的老闆米爾特是個成功的保險顧問。米爾特深知大多數保險推銷員失敗的原因不在於不懂得推銷，而是因為不知道如何建立人際關係。數月來，米爾特帶著傑克參加各種聚會、俱樂部以及其他每一個可能有人購買他們產品的地方。由於米爾特的年紀差不多可以當傑克的父親，他認為他有些朋友的孩子可能也會是傑克未來的客戶。儘管花了好長一段時間，但傑克也因而穩定地發展出一套人際網路。米爾特教導傑克如何打進有能力購買產品人的圈子裏，傑克也真的為自己創造出了機會。

米爾特已經過世好多年了，在他生命的最後十五年裏，他處於半退休狀態，而且為傑克工作。傑克現在繼承了米爾特的公司，並成為公司的主管。

小測試——你的人際態度

出門時，你如何攜帶手機

一、掛在腰間
二、隨時拿在手上
三、放在皮包的側袋裏
四、隨意丟在皮包裏
五、使用手機背帶或當項鏈戴

診斷書

選A的人，掌控欲望強烈，總想在團體之中充當頭頭的角色，對於人際關係有自己的選擇標準，希望能建立以自我為中心的全局關係。

選B的人，對於人際關係很難有信任感，對人的觀察時間較長。不過，一旦認準之後，就是赴湯蹈火，也在所不惜。

選C的人，性格隨和，辦事理智，以圓滑的方式與人交往，不得罪人，但也不會過於親熱，不喜歡跟人發生衝突。

選D的人，處理人際關係隨緣，有緣的時候朋友聚在一起，等緣分盡了，各奔東西，不聯繫也屬正常。

選E的人，重視人際關係，可惜無法輕易向人敞開心扉，雖然朋友不少，知己卻不多。

第三章

同船過渡，五百年修

二十一世紀，是一個靠組織力成功的時代，過去單槍匹馬的「英雄獨行」策略，已經成為一種神話和笑話。朋友，就是人脈和事業組織的基層。懂得活用朋友的資源，就等於擁有千軍萬馬的兵力。然而，「友」能載舟也能覆舟，要真正活用朋友資源，就要懂得運用「厚黑學」來選擇，和運用「ＥＱ」來經營人脈，甚至要懂得活用你所討厭的「損友」和「惡友」，你才能輕輕鬆鬆靠朋友邁向成功。

第一節　嗨，你好嗎？——結識陌生人

人脈建設的第一步往往從結交陌生人開始。

人們溝通的範圍，不可能局限於已熟悉的人和環境中。事實上，我們每天都在接觸陌生的人和事。在參加宴會、乘車坐船、住宿旅館等場合，我們都不可避免地要與陌生人溝通。與陌生人溝通，可以活躍我們的生活，使人敞開心扉，擴大視野。在我們的現實生活中，因偶然的相逢而成知音的事例，並不少見。至於在漫長的旅途中，與同座、同住的人溝通，可以減少旅途的寂寞，調節和活躍旅途生活，還可以增長知識。

佛教中有一句話：同船過渡，五百年修。意思是說今生能夠相遇，那可是前世「修」來的緣分。這種說法是否有根據，我們無法考證，但是我們在與初次見面的人交談時總是會想：有緣才能得以相會，這次見面後一別，不知是否有再見的緣

分，這初次見面也許會成為今生的最後一次見面。於是，就更加珍惜這瞬間的相處，儘量使彼此留下愉快的回憶。如果我們一直抱著這種「惜緣」的態度，往往會跟人愉快地相處，進而意外地增長了良好的人際關係。

關鍵的頭五分鐘

俗話說：「萬事起頭難。」當你與對方完全陌生的時候，要開始一次交談確實是很困難的。但是，只要你掌握了一定的技巧，你也會達到你的目的的。這時，你不要試圖想出一些有深遠意義的或聰明的話題，而只要提一些簡單的問題寒暄一下，或者評論一下目前在你身邊發生的事情即可。

當然，這並不是說，你按上述技巧做了就能使你與對方像朋友一樣地交談。事實上，由於客觀環境的不同和人與人之間的差別，在很多情況下我們並不能如願以償。也許兩個人一見如故，感覺十分投緣，馬上就可以無話不說，成為很好的朋友；也許彼此都比較含蓄內斂，幾句話後就不知該說些什麼了，而且還會感覺尷尬。那麼，人們第一次相遇，需要多長時間決定他們能否成為朋友呢？美國的羅納

德・朱尼博士在他所著的一本書中提到，溝通的「點」，就在於他們相互接觸的第一個五分鐘。

一般來說，人們都喜歡那些喜歡他們的人。所以和第一次見面的陌生人交談的頭五分鐘，一定要表現出友好和自信。除此之外，還要善於察言觀色，恰當地表現出同情、體諒別人的需要、憂慮和願望。聽到對方的誇獎，可以謙虛地回答「哪裡，我還差得遠」，以掩飾的方法來表現自己的優點。聽到不順耳的話，也不要立刻在臉上表現得不高興或進行過多的辯解。在回答問題時，要表現得善良、友好，願意幫助別人。

要注意的是，與人見面的第一個五分鐘，絕不是演戲給人看，否則就給人以虛偽造作的感覺。也決不應第一次見面就向人家訴苦、發牢騷。這些都可能使你失去一位很好的朋友。

還有一種情況，在與陌生人溝通時，有的人很想和對方交談，但又不知話該怎麼出口，心裏七上八下，因而顯得很緊張。其實你大可不必如此，也許對方比你更緊張。所以在對方不知道如何開啟話匣子的時候，你不妨找些對方可能會感興趣的

話題，引起雙方的「共鳴」；而適當的寒暄有助於衝破人際交往的障礙，因為初次見面時彼此都很陌生，彼此必然心存戒心；如果再不知道如何相處時，那麼就給予對方一個微笑吧！因為微笑具有神奇的魅力，即使對方不理會，你也做足了禮貌。

如果你能跟他談一些輕鬆的話題，將會使你們雙方都感到愉快。其實，陌生人之間的交往之所以存在障礙，關鍵是人際之間隔著一層「窗戶紙」，如果有人能捅破這層紙，人們之間的溝通也就非常順利了，下面這則故事就可以說明這一點：

一個星期一的早晨，在一輛開往市區的巴士上，上班的人們都坐在自己的座位上安靜地讀著自己的報紙，誰也沒有講話。車廂內安靜極了。

突然，司機大聲對乘客說道：「我是你們的司機。現在，請你們全都放下報紙，轉過頭去面對坐在你旁邊的那個人……跟著我說：早安，朋友！」

莫名其妙的乘客這時會心地笑了起來，頓時，車廂內的氣氛活躍了。

這位司機就是看準了陌生人之間難以捅破的「窗戶紙」的心理，幫助乘客解決了這個「難題」。如果我們也能像他那樣，不是可以使我們的溝通範圍更加寬

廣嗎？

碰面三十分鐘內開口

搭乘飛機或火車、輪船的時候，便是建立人際關係的絕佳機會。如有可能，多少都想和鄰座的人聊上幾句話，一方面可以打發時間，另一方面可以多認識幾個萍水相逢的朋友，進而路上也可以相互照應。然而，向偶然坐在身旁的對象開口攀談，的確需要相當的勇氣。而且，愈是不擅長與陌生人交談的人，愈會絞盡腦汁地去思索著那些完美的辭令。那麼結果是，在磨磨蹭蹭不敢開口的情形下，時間白白溜走，錯失開口搭訕的機會。

在這種情形下，由於不必要思索中聽的話，儘早開口才最重要。

一般而言，碰面三十分鐘內開口說話是最理想的。一旦過了三十分鐘，除非出現特別合宜的機會，否則雙方只能以沈默告終。在現場氣氛凝固之前，無論什麼話題均可，務必先開口交談過。比如故意詢問一下該車次的到站時間，或者向對方借閱報紙，趁機還可以就報紙新聞發表意見等。此外，要善於把握機會開口說話，比

如對方為女性，那麼見她費力地往行李架擱放行李的時候，便是一個好機會。「讓我幫你放吧！」只需要一句話，一個舉手之勞，氣氛就立刻緩和下來。而在你幫忙後，她必定會感謝你，於是你們便可以很自然地聊起來了。如果讓這種時機溜走，等坐定四處張望後，冷不防地開口搭訕，必定讓對方感到突兀。在開口交談之前，「他大概想和我說話吧？」「不知他心裏在想什麼？」如果彼此都感到這種氣氛時，必定無法指望獲得自然的溝通。

此外，如果一開口便說些中聽討好的話，對方反而會感到緊張。在座席上安定下來之前，趁著忙亂時說些不經意的話，對方反而較能以輕鬆的心情回應攀談。當然了，從上車到下車為止，不停地說話是不必要的。只要在最初輕鬆地打過招呼後，途中可以閱讀書報，抑或對方也可能主動攀談。總而言之，你最初開口寒暄的目的，是為了向對方表明自己沒有敵意。

所以，如果你打算旅途中同鄰座的人攀談，就應該在上車前先調整心態，準備隨時與人攀談。如此一來，在上車時就可以無所顧忌地輕鬆開口。

這個方法不僅有利於建立人際關係，同時也能成為上班族的一種訓練。只要訓

練自己隨時均能與人攀談，和年長者說話的技巧也會隨之進步。畢竟，無法和陌生人交談的人難以勝任上班族的工作。

毛遂自薦

要想辦法結識別人，尤其是那些你想要多加瞭解的人，而不是等著別人來認識你。除非你是個大人物，或是剛剛中了什麼超級大獎，否則沒人會注意在一個小小的角落，不起眼的你。你應該主動使盡渾身解數全力與人周旋，並且介紹自己。自我引薦最好不要超過十秒鐘，而且要在這短促的時間內報出你的姓名、職務，頂多再加上一些可以協助別人記住你的事項。例如，假定你在某個事業部門工作，可以這麼說：「你好！我是ＸＸＸ，我在會計部工作，聽說你是個軍事迷，我也是。」如果實在沒什麼話題可聊，不妨談談天氣：「今天的天氣不錯，陽光很好哦！」任何話題都行，關鍵是能讓談話繼續下去。不要覺得在辦公室聊公事比較好，其實每個人都喜歡從日常繁瑣枯燥的工作中擺脫，不妨聊點其他新鮮的東西，彼此也可以放鬆一下。

千萬別猶豫當個首先開口說話的人。與人初次碰面時，不管對方是男是女，都要先面帶微笑，然後習慣性地伸出手來送給對方堅定的一握。這樣做的理由是，堅實的握手是很重要的，它可以顯示出自信。如果你能友善地主動問候別人，人們自然更容易記住你。

如果試圖苦苦思索出什麼偉大的開場白，許多機會就會錯過，如果連一個機會都抓不到，也就不需要擔心該說些什麼了。壓根就沒有完美的開場白這回事兒，即興發揮才是最好的，也是最自然的真情流露。也許事後你認為自己的開場白有些愚蠢，但總比沒有要強，有總勝於無吧！相信自己，開始對話並沒有你想像中的那麼困難。其實，相當簡單的日常對話，做生意、找工作、開展社會關係等，甚至找人問個時間、問個路都可以拓展人脈。

即使你認為對方可能認識你，你也千萬別猶豫，大聲地報上姓名就對啦！房地產大亨路・盧丁，早已被公認為是紐約最受歡迎的超級經紀人，也是最務實的人脈拓展家，他總是在寒暄的時候，巧妙地道出自己的姓名。除非他和對方很熟，否則必定會在問候對方的同時，順口報上名來。他總是說：「為什麼要讓別人那麼難以認識你呢？沒有人會重要到打招呼時不用報上姓名的。」是啊，有誰會重要到誰人不知，誰人不曉？況且，報上姓名也是對別人的尊重，是一種禮節。

與人初識時，一定要面露微笑（切忌面無表情或皺眉蹙額）、兩眼直視對方，清楚地介紹自己。這時候，大多數人也會做一個簡短的自我介紹，接著對話就此展開。如果對方沒有介紹自己，這個時候，不要因為覺得對方無禮而感到惱火，也許是對方忘了。沒關係，你不妨主動地開口問問，這麼做總比讓對方輕易逃脫好得多。此外，你還可以用閒聊來為對話暖暖場。問問他們的工作、家人、業餘愛好等等。不要覺得閒扯太膚淺就嗤之以鼻，說不定這麼嘮嘮家常就一下子縮短了彼此的距離，增進了感情，也許不經意間就助你達成目的，也可以為正事的商討鋪路，更可以達到破冰的效果呢！一旦彼此的距離拉近，就可以談論任何你真正想要討論的議題，談話也隨之就可以切入正題了。

愛麗思是個備受尊重的新聞工作者，人們欽佩她超強的社交能力，因為她總是能夠在許多場合結識重要人物。她運用的是自創的「糖果理論」。她說：「現在有一盒糖果，大多數人都會挑選他們喜歡的口味來吃。那麼，認識別人也是一樣的

道理，我知道自己不能用整晚的時間與所有人周旋，而且我也沒有那麼多時間，所以我要謹慎地選擇想要攀談的人。我不會和認識的人聊天，除非我已好久沒有見過他們。相反的，我只會對他們揮揮手打個招呼而已，然後筆直走向會場中的陌生人或是看來害羞或茫然失措、被人冷落的人。我用這種方法認識了許多人，並且和他們聊得很愉快。」

愛麗思還說：「大多數人認為，他們必須坐等別人來為他們引見大亨，我不認為這是正確的做法。如果你和他們出現在同一場合，為什麼不冒險試一試呢？例如，我曾經在一場宴會中直接找到菲利浦王子，和他大談賽馬經。正是因為我熱衷於認識新朋友，所以我根本無須坐等別人進行正式的介紹。」

準備好話題

與剛認識的人在一起談話，最好的辦法就是從一個話題到另一個話題地試著說，如果一個話題不行，沒說幾句就無話可說了，那就立刻再試試下一個。或者輪到你講話時，可講述你曾經做過的事情或想做的一些事情，比如修整花園、計畫旅

行或其他彼此都非常熟悉的話題。不要因為片刻的沈默就心慌意亂了，讓它自然地過去就是。

如果在聚會上，你發現是個陌生人坐在你身邊時，不要覺得沮喪，千萬不要認為你不會度過一個愉快的夜晚了，因為身邊這個陌生人可能會成為你的夥伴。反而你應該認為這是一個絕好的機會，在開始「釣魚」之前主動地介紹一下自己。開始的方式可以有很多種，沒有哪個是最好的，關鍵是選擇一個適合自己的方式。如果你是一個很內向、靦腆的人，那麼在參加聚會之前就要在腦子裏先想想。如果主人事先已經告訴了你一些關於對方的消息，你就可以借題發揮。比如對方是個球員，他的球隊在上星期比賽獲勝了，你就可以說：「我知道你的球隊在上星期的比賽中獲勝了，一定很精彩吧！能否向我介紹一下當時比賽的情況呢？」對方一定很高興地向你娓娓道來，現在你還愁今晚你會寂寞嗎？如果你對他一點都不瞭解，你可以這樣詢問：「您是住在這裏呢，還是遊客？」從他的回答中，你就可以獲得開始的話題了。他可能也會問你住在哪裡、從事什麼職業等。非常簡單，但要注意給他說話的機會，千萬不要一個人滔滔不絕。

另一個立竿見影的重要的開場白就是根據對方的特長徵求建議。比如，你可以諮詢一個熱心的園藝家：「我想把花園中的一年生植物改種為多年生的，您認為種什麼好呢？」或對於一個從事通訊器材銷售的人，你可以詢問：「我想買一部傳真機。您有什麼好的推薦嗎？」如果對方沒有反應，你還可以就某些熱門話題，請他發表見解，問他有關任何方面的觀點都是很穩妥的：政治、體育、股市、時尚和當地新聞，幾乎都可以，但不能是已經問過的，最好不要問引起激烈的反應或者容易引起爭論的話題。

此外，在餐桌上，能提供良好開端的話題往往就是食品或酒：「好吃嗎？我沒有時間在廚房裏真正地做一頓好飯。您自己做飯嗎？」一句話就可以引出很多可以共同探討的話題。

投其所好

一個成功總裁的背後總有一位偉大的秘書。無論何時，在老闆會見任何陌生人之前，秘書一般都給他事先準備對方的詳細資料，比如對方的小孫子上哪所幼稚

園，成績如何；他的孩子在哪些方面有過傑出的表現，或者曾經獲得過什麼獎項；他太太上班的公司、廚藝等。總之，和陌生人首次交談，最能從內心深處感動他的人和事，莫過於他的家庭。所以，我們要撥動的就是他心裏最敏感、最脆弱的那根弦。

只要是拜訪過羅斯福總統的人，都會感到非常驚訝，因為無論商界名流、政治明星還是農夫、牧童，都可以和他談得很投機。而秘密就在於他深知捕獲人心的捷徑：談對方最感興趣、最引以為豪的東西。據身邊的工作人員說，羅斯福總統在接見任何來訪者之前，都會事先了解他們的工作、生活、家庭、事業等方面，以及對方感興趣的話題。事前瞭解他人，就會找到雙方談話的投機點，共同的興趣愛好是結交朋友最自然也是最有效的方法。

會見陌生人之前，不妨瞭解一下他目前最得意的事情。沒有誰不喜歡聽好話的，不管他是多麼謙遜的人。每個人都喜歡享受被人承認的感覺，心理上也有被別人認可的需要，所以人的成就越大，就越希望別人能夠看到。試想一下，跟一位完全陌生的人談論他最引以為自豪的事情，會是什麼情況呢？如果對方剛剛被提拔，

那麼恭喜升遷，誇獎對方的能力和官運無疑就是他最願意聽，同時也是他最願意談的啦。

微笑是世界通行證

俗話說得好：「一笑解千愁」，有一副對聯也說，「眼前一笑皆知己，舉座全無礙目人」。

的確，沒有人能輕易拒絕一個笑臉。笑是人類的本能，要人類將笑容從臉上抹去是件很困難的事情。由於人類具有這樣的本能，因此微笑就成了兩個人之間最短的距離，具有神奇的魔力。真誠的微笑是交友的無價之寶，是社交的最高藝術，是人們交際的一盞永不熄滅的明燈。

每個民族都有自己特別的風俗習慣和文化，都有自己的禁忌和避諱。比如在希臘和非洲尼日，擺手是一種極大的侮辱，尤其是當你的手接近對方臉部時；「再見」式揮手在歐洲可以意味著「不」，但在秘魯卻意味著「請過來」；在巴西，將你的拇指和食指相接——一個美國人的「ＯＫ」標誌——意味著「見鬼去

吧」；當與馬來西亞或印度客戶一起吃飯時，不要用左手進餐等等。然而卻有一種交流方式是全球通用的，這便是微笑。微笑是我們這個星球上最通用的語言，因此，不論走到哪裡，都要帶去微笑。

美國的希爾頓飯店名貫五洲，是世界上最富盛名的酒店之一。董事長唐納・希爾頓認為：是微笑給希爾頓帶來了繁榮。為什麼希爾頓這麼重視微笑呢？許多年前，一位老婦人在希爾頓心情不好的時候去拜訪他，希爾頓不耐煩地抬起頭，他看見的是一張微笑的臉。這張笑臉的力量是那麼不可抗拒，希爾頓立即請她坐下，兩人開始了愉快的交談。交談中他發現老婦人真的是那麼慈祥，她臉上真誠的微笑完全感染了他。從此，他把「微笑」服務作為飯店的宗旨。每當他在世界各地的希爾頓飯店視察時，總會問員工：「今天，你對顧客微笑了嗎？」如果你去任何一家希爾頓飯店，你就會親身感受到——希爾頓的微笑。唐納・希爾頓總結說：微笑是最簡單、最省錢、最可行、也最容易做到的服務，更重要的是，微笑是成本最低、收益最高的投資。因此，他要求員工不管多麼辛苦，多麼委屈，都要記住任何時候對任何顧客，用心真誠地微笑。即使是在二十世紀三〇年代的大蕭條中——各

行各業，每個人的臉上都掛著愁雲慘霧的時代，希爾頓的員工仍然用自己的笑容給每位顧客帶去陽光。大蕭條過後，希爾頓率先進入了繁榮期。也許是希爾頓人的微笑贏得了「上帝」，從此，它邁入了黃金時期。

微笑是一種交際的世界語，微笑沒有國界也沒有階級之別，人人都有權利享受別人真心的微笑。達文西的傳世名作《蒙娜麗莎》以畫中人含蓄、迷人的微笑在世界人民心中留下了美好的印象，也樹立了微笑的經典。但有些朋友可能會說，我天生不愛笑，也不會微笑。沒關係，因為微笑是可以培養的。日本空姐接受微笑訓練，每天練習微笑，最終獲得了成功就證明了這一點。微笑反映了一個人的素質和道德風貌，微笑會使你在人群中大放異彩。微笑，是一束冬日溫暖的陽光，可以化解久凍的心湖，讓我們在充滿愛意的世界裏更容易做到心靈的溝通。

故意拿自己開玩笑

許多人都苦於不知如何跟陌生人交往，主要是不知道如何去打開第一道障礙，破除彼此之間的隔閡，使雙方迅速熟悉起來；尤其是不知道如何正確地表達我們的

觀念和思想，使對方了解我們的心意。

當美國前總統威爾遜剛剛就任紐澤西州的州長之時，曾參加了一次紐約南社的午宴，宴會的主席向大家介紹說：「威爾遜將成為未來的美國大總統。」當然，主席先生是不可能有這樣的預測力的，這不過是他的溢美之辭而已。

於是威爾遜在稱頌之下登上了講臺，在簡短的開場白之後，他對眾人說：「我希望自己不要像從前別人給我講的故事中的人物一樣。在加拿大，一群遊客正在溪邊垂釣，其中有一名叫強森的人，大著膽子飲用了某種具有危險性的酒。他喝了不少這種酒，然後就和同伴們準備搭火車回去，可是他並沒有搭北上的火車，反而是坐上了南下的火車。於是，同伴們急著找他回來，就給南下的那趟火車的列車長發去電報：『請將一位名叫強森的矮個子送往北上的火車，他已經喝醉了。』很快，他們就收到了列車長的回電：『請將其特徵描述得再詳細些。本列車上有十三名醉酒的乘客，他們既不知道自己的姓名，也不知道自己的目的地。』而我威爾遜，雖然知道自己的姓名，卻不能像你們的主席先生一樣，確知我將來的目的地在哪裏。」在座的客人一聽都哄然大笑起來，宴會的氣氛也一下子變得愉快和

活躍。

聽了故事發笑的多數人都認為，能夠讓人捧腹大笑的趣聞，通常都是源自說笑話的人的自我打趣。但是，卻很少有人知道威爾遜剛才所說的故事其實正是根據他們曾經經歷過的事情改編的，而那個喝醉酒的青年強森其實就是當年的自己。

那麼威爾遜講述這個故事的用意僅僅是為了博人一笑嗎？答案當然是否定的。事實上，他採用了一種最有力的方式獲取他人對他表示善意和支持的態度，而且也把在這之前的隔閡消除了。這個策略就是犧牲個人的「自我」，以提升他人的「自我」，換言之，就是貶低自己，進而抬高他人。

其實，所有非凡的人才，為了獲得民眾的支持，都會在和民眾接近之時，故意拿自己開玩笑或是不惜批評自己，以便讓民眾感到輕鬆和愉快。至少在他說話的時候，民眾會感到自己比他優越，產生一種優越感，進而更容易地激起民眾普遍的同情、愛護和支持的感情。

第二節 一把草花，一片真情——抓住幫助人的機會

> 該出手時就出手，朋友就是最大的收穫，最珍貴的禮物！

野雁的感覺

沒有一隻鳥能飛得太高，如果牠只用自己的翅膀在飛。

每當秋天來臨，當你見到雁群為躲避寒冬而朝著南方，沿途以「人」字隊形飛行時，你也許會想到某些科學論點，從力學等方面證明它們為什麼選擇這樣飛行。當每一隻鳥展翅拍打時，造成其他的鳥立刻跟進，於是引起整個鳥群的抬升。借著「人」字隊形，整個鳥群將比每隻鳥單飛，至少增加了七一%的飛升能力。

同樣的道理，分享共同目標和團體感的人們可以更快、更輕易地到達他們想去的地方，因為他們像鳥群一樣，憑藉著彼此的衝勁、助力而向前行。

如果一隻野雁掉隊了，牠就立刻會感到獨自飛行的遲緩、拖拉與吃力，所以牠會盡力很快又回到隊形中，繼續利用前一隻鳥造成的浮力飛行。

如果我們擁有像野雁一樣的感覺，我們就會留在隊裏，跟那些與我們走同一條路，有著共同目的地，同時又在前面領路的人在一起。

領隊鳥的壓力是最大的，消耗也是最大的。當領隊的野雁疲倦了，牠就會退到側翼，另一隻野雁則接替飛在隊形的最前端。輪流從事繁重的工作是合理的，對人或對南飛的野雁都一樣。飛行在後的野雁會利用叫聲鼓勵前面的同伴來保持整體的速度。當我們在後面叫喊時，事實上也是在傳達資訊。

最後而且也是重要的——當一隻野雁生病了，或是因槍擊而受傷，進而脫隊時，另外兩隻野雁就會主動脫隊跟隨牠，幫助牠並保護牠。牠們跟著落下的野雁一起落到地面，直到牠能夠再次飛翔或者死掉。而且只有到了那時，另外兩隻野雁才會再飛走，或隨著另一隊野雁來趕上牠們自己的隊伍。

如果我們擁有野雁的感覺，我們將像牠們一樣互相扶助。在這個世界上，個人的力量總是單薄的，一個人無力去解決生活中的所有問題，而且，要一個人走完這

漫漫人生之路，是多麼孤寂，又多麼危險。任何一個人都離不開他人的幫助。常言：「一個籬笆三個樁，一個好漢也要三個幫。」正是由於大家相互幫助，相互關懷，這世界才會這般溫暖，這般美好。

助人就是助己

主動伸出援助之手，是會交際者常用的一種姿態。俗話講，患難見真情，當你伸出援助之手的時候，尤其是對方急需要一隻手的時候，就更能讓人感受到交往的力量。你向別人伸出一隻手，別人也會向你伸出一隻手。

有一個人在離開人世的時候，請求上帝允許他提前參觀一下天堂和地獄，以便做出比較，進而能聰明地選擇他的歸宿。他首先來到魔鬼掌管的地獄，乍一看，令他十分吃驚，簡直不敢相信自己的眼睛。因為地獄並非他想像中的那麼可怕，他看到的是，所有的人都坐在酒桌旁，桌上擺滿了各色美味佳餚，包括肉類、水果、蔬菜。

然而，當他走近仔細觀察那些人時，竟然發現沒有一張笑臉，也沒有伴隨盛宴

的音樂或狂歡的跡象。坐在桌子旁邊的人看起來都悶悶不樂，無精打采，而且瘦的只剩皮包骨了。原來在每人的左臂都捆著一把叉，右臂捆著一把刀，刀叉都有四尺長的把手，使它不能用來吃，所以即使每一樣食物都有，並且就在他們手邊，結果還是吃不到，一直在挨餓。

然後，他又去了天堂，沒想到景象其實跟地獄完全一樣——同樣的食物、刀、叉和那些四尺長的把手。然而，天堂裏的居民卻都在唱歌、歡笑，個個像天使般地滿面春風，神采飛揚。這位參觀者一下茫然了。他奇怪為什麼情況相同，結果卻如此不同呢？地獄裏的人都在挨餓而且可憐兮兮，可天堂的人卻酒足飯飽而且很快樂。帶著一臉疑惑，他走近觀察，最後終於找到答案了。原來，地獄裏的每個人都是試圖餵自己，可是一刀一叉，以及四尺長的把手是根本不可能把食物送到自己嘴裏的。而天堂的每一個人卻都在餵對面的人，同時也津津有味地吃著對面的人餵來的食物。因為他們彼此互相幫忙，結果也幫助了自己。

人與人之間的交往是一種平等互惠的關係，也就是說，你對別人怎樣，別人就會怎樣對你。你幫助我，我就會幫助你。正所謂「投之以桃，報之以李」，一個

人只有大方而熱情地幫助和關懷他人，他人才會給你以幫助。所以你要想得到別人的幫助，你自己首先必須幫助別人。

老張的太太要生小孩了，他扔下電話，跳進公司的那輛破車就往外衝。「你上不了山的，車太老了！」同事在後面喊。「沒辦法，只好沖沖看了！」果然，一開始爬坡，車就吃不消了，但居然僥倖地過了幾個坡。眼看就要衝上最後一個坡了，一個提著木箱的人過來攔車：「能不能帶我一程？箱子太沉了！」老張不予理會，一直往前衝，心想：「我自己都不一定過得去呢？」但就在衝上山頭的那一刻，車停住了，無論怎麼踩油門都無濟於事，並且開始往下溜。

老張索性退回去，準備再次衝刺。半路碰到剛才那個人，還回頭對他笑呢！老張覺得對方在嘲笑他，心裏狠狠地罵了一句，就再次往上衝。這次，奇怪了，就在差一點的時候，車居然緩慢地上了山頭。老張正興奮，卻猛然發現車後站著那個人，滿臉通紅，氣喘呼呼。「剛才是你幫我？」「嗯，你……能不能帶我一程，我趕著去幫人接生！」

你幫我，我幫你，人與人的緣，環環相扣，幫助別人其實就是幫助自己。

有一天，愛默生和他的兒子想把一頭小牛弄進穀倉裏。但他們犯了「只想到自己的需要」的錯誤——愛默生用力推，兒子用力拉。但是，那頭小牛也正好和他們一樣，只想到自己的需要，所以兩腿拒絕前進，堅持不肯離開草地。這時，有個愛爾蘭婦女看見了，雖然她不會寫散文集，不懂得很多深奧的哲理，卻比愛默生更懂得「馬性」或「牛性」。只見她把自己母性的指頭放進小牛嘴裏，一面讓它吸吮，一面輕輕地把它推入穀倉。為什麼愛默生和兒子兩個人費了九牛二虎之力都沒能做到的，一個農婦卻用一個指頭輕而易舉地做到了呢？

這些小故事給我們的啟示很清楚，如果你幫助其他人獲得他們需要的事物，你也因此而得到想要的事物，而且你幫助的人越多，你得到的也越多。

在中國歷史上，輔佐周朝建立不朽功業的奇人姜太公就曾經對周文王說：「天下不是一個人的天下，而是天下人的天下。同享天下利益的人得天下，私奪天下利益的失天下。」又說：「與人同病相救，同情相成，同惡相助，同好相趨。所以沒有用兵而能取勝，沒有衝鋒而能進攻，沒有戰壕而能防守；不想獲得民心的人，卻能獲得民心。不想取得利益的人，卻能得到利益。」

不論生活還是工作，對人友好，才能換來別人的善待，尊重他人才能換得他人的尊重。所以，愛人就是愛己，利人就是利己，助人就是助己。反之，刻薄他人就是刻薄自己，譭謗他人就是譭謗自己，損害他人就是損害自己。

幫助要真誠

常常聽到有人說，生活不需要技巧。這句話說的就是在人際交往中，要誠心誠意，不要懷著偽善的態度。因為一旦對方發覺自己是被利用的工具，就會有種受騙的感覺，即使你對他再好，也只能適得其反。所以如果要獲得真正成功的人際關係，就只能用一顆誠心與人交往。

幫助他人，切忌居功自傲。在人際交往中，當我們幫助了他人時，不必以此沾沾自喜，自鳴得意，天天掛在嘴邊，更不能擺出一副救世主的面孔，時時提醒對方你的恩惠。因為我們的幫助應該是無私的、誠懇的、發自內心的，而不存在半點恩賜的感覺。在別人有困難的時候，別忘了該出手時就出手。

晉代有個人叫句巨伯，有一次去探望朋友，正巧朋友臥病在床，敵軍攻破朋友所在的城池，燒殺擄掠，百姓紛紛攜妻帶子，四散逃難。朋友勸旬巨伯：「我病的很重，走不動，活不了幾天了，你別管我了，自己趕快逃命去吧！」

旬巨伯不肯走，他說：「你把我看成什麼人了，我遠道趕來，就是為了來看你。現在，敵軍進城，你又病著，我怎麼能扔下朋友不管呢？」說著便轉身給朋友熬藥去了。

朋友百般苦求，叫他快走，旬巨伯卻端著藥水安慰說：「你就安心養病吧！不要管我，天塌下來我替你頂著！」

這時「砰」的一聲，門被踢開了，幾個兇神惡煞般的士兵衝進來，沖著他喝道：「你是什麼人？如此大膽，全城人都跑光了，你為什麼不跑？」

旬巨伯指著躺在床上的朋友說：「我的朋友病得很重，我不能丟下他獨自逃命。」並正氣凜然地說：「請你們別驚嚇了我的朋友，有事找我好了。即使要我替朋友而死，我也絕不皺眉頭！」

敵軍一聽愣了，聽著旬巨伯的慷慨言語，看著旬巨伯的無畏態度，很是感動，說：「想不到這裏的人如此高尚，怎麼好意思侵害他們呢？走吧！」說著，敵兵

撤走了。

患難時刻表現出的正義，能產生如此巨大的威力，說來不能不令人感到震驚。

雪中送炭

我們應該時時伸出熱情的手，時時幫助和關懷別人，因為我們的幫助，不僅能助人一臂之力，而且能給對方帶來力量和信心，使他們有更大的勇氣去戰勝困難。特別是當一個人遇到挫折、處於逆境之中時，如果我們能熱情相助，那將猶如雪中送炭，別人也定會有「滴水之恩，當湧泉相報」的感激。「危難中見真情」，很多人在受到別人真誠的幫助後，總能以更真誠的感激報答別人。

美國人維吉尼亞・格雷夫斯講了一個及時給予而產生一個長久友誼的故事。

有一年她生兒子的時候，和一名叫安的婦女住在同一個病房。維吉尼亞的父親是個開花店的，每天都給她按時送來一大束鮮豔的玫瑰花。而那個叫安的婦女，卻總是一個人孤寂地待在病房裏，從來沒收到過一朵花，也沒人來看望她。當維吉尼亞第七次收到鮮花時，她感到很不安。因為她從安的眼睛裏看出了她的憂傷和鬱

悶。於是，當她的父親再次看望她時，她叮囑父親也給安帶束鮮花。吃完晚餐，鮮花就送來了。

「這次是給你的。」維吉尼亞將一大捧嬌嫩欲滴的玫瑰花送到安的懷抱。安長久地凝視著鮮花，臉上露出了難得的笑容，並深情得說了聲：「謝謝！」

三十年過去了，維吉尼亞早已忘記了這件事，忘了她曾經送花給一個婦女。然而這時，不幸降臨了，維吉尼亞的兒子被癌症奪走了生命。報上登了訃告，悲哀的心情籠罩著這個小家庭。在喪禮上，一個郵差送來了一小瓶鮮豔欲滴的花束。卡片上寫著她兒子的名字：「獻給約翰‧格雷夫斯——與你同一天出生在紀念醫院中的孩子和她的母親謹上。」維吉尼亞望著那只小花瓶，這才認出是三十年前送給那位憂鬱的婦女的。維吉尼亞的內心突然湧出一種說不出的感動和安慰，在這個時刻收到如此美麗的一束鮮花！

這是一種對他人給予的友好報答，是沉積在記憶長河中的感激之情，它在人悲傷的時候，給人的是一種神奇的慰藉。這種給予，給人的是心靈的撫慰。

從這個小故事，我們得到的啟示就是：要尋找並瞅著別人「饑渴」的時機，

雪中送炭，及時給予，像「及時雨」宋江、維吉尼亞一樣，那我們就不愁沒有朋友了。

點一盞燈

當布朗還在小兒科當實習醫生的時候，常常日夜忙碌。通常因為要趕交報告，需要在辦公室熬到深夜，這個時刻，布朗總是伴著一盞臺燈，平靜地思考著他的病人和他們的問題。

一天晚上，布朗正在辦公室研究一個病人的圖表，這時聽到一聲叩門聲。他以為合夥人來了，開門卻發現是布萊恩，他的一個十六歲的病人。於是布朗關切地問他：「為什麼淩晨兩點還在街上遊蕩呢？」他只是回答想出來散散步，想想事情。布朗便讓他進來，兩個人開始聊天。很明顯，布萊恩的情緒很不好，似乎有滿腹的恐懼和憂慮急需傾吐。布朗在一旁靜靜地聽著，布萊恩則不停地訴說著自己的不幸，他女朋友最近跟他吹了，功課也不理想，他擔心這樣的成績當不成建築師，還跟父母吵了一架。他懷疑神的存在，懷疑神不肯眷顧他。布朗偶爾給他打打氣，

提一點建議，就這樣他們聊了好幾個小時，最後布朗開車送布萊恩回家。

從此，布萊恩會時常到布朗的辦公室溜達，聊天、告知近況。很快他們成了很好的朋友。半年後，布朗調到別的地方實習，一年後，布朗接到一封布萊恩寄來的一份畢業通知，還夾有一封信。信中說，「親愛的布朗醫生，謝謝你那夜的關懷，也許你不知道，其實那晚我心情很遭，本來打算自殺的。但就在我走在街上時，看到你辦公室的燈亮著，不知不覺我就走到你的辦公室門口，於是決定跟你談談。你的傾聽和建議，讓我發現生命中還有很多不錯的事，那些點子也十分有用。現在我即將高中畢業，並申請好了一所大學的建築系就讀。我曾經經歷過難關，但我已經過了，真的謝謝那夜你的燈亮著！」

其實，布朗並沒有對布萊恩做過什麼特別的事情，那夜的談話跟平常任何一次交談沒有什麼區別。布朗只是覺得布萊恩想自殺的那夜，他竟然會在辦公室，而且讓燈亮著，似乎太巧了，有點不可思議。但事實上，每個人體內都蘊涵著一道光線或能量，由內到外地為自己或是為他人提供引導和幫助。那夜布萊恩之所以會來敲布朗辦公室的門，就是因為存在這麼一道照得最亮的光！

微小的幫助卻能帶來最大的改變

一九九五年的耶誕節前夕，十六歲的比利一直忙著扮演幫聖誕老人跟小朋友合照的一個小精靈，以便湊足自己的學費。隨著耶誕節的來臨，聖誕天地的工作益發繁重，但經理瑪麗總在適當的時候給他一個足以鼓舞士氣的微笑，使他取得了最好的業績。為了感謝經理瑪麗，比利決定在聖誕夜送一份禮物給她。但下班的時候就六點了，當他衝出去時，卻發覺周圍幾乎所有的店都關門了。但比利實在想買個小禮物送給瑪麗，雖然他沒有多少錢。

回去的路上，比利竟然看到史脫姆百貨公司還開著門，於是他以最快的速度衝了進去，來到禮品區。等衝進去後，比利才發現自己跟這裏格格不入，因為這個店是有錢人光顧的地方，其他顧客都穿得很漂亮，又有錢，在這個店裏，比利怎麼指望會有價錢低於十五元的東西呢？

這時，一位女店員向比利走過來，親切地詢問能否幫他。此時，周圍的人都轉過頭來看他。比利盡可能低聲說：「謝謝，不用了，你去幫別人吧！」女店員看

著他，笑了笑，堅持道：「我就是想幫你。」於是，比利只好告訴她他想買東西給誰，以及為什麼買給她，最後羞怯地承認自己只有十五元。而女店員呢，似乎很開心，思考了一會兒，就開始動手幫他選。然而百貨公司的禮物也所剩無幾了，她仔細地挑著，很快就擺成了一個禮物籃，一共花了十四元九分。當一切完成後，商店就要關門，燈已經熄了。

當時，比利站在那裏遲疑了一會兒，想回家怎麼能包裝得更漂亮點。女店員似乎猜到了比利在想什麼，問他，「需要包裝好嗎？」「是。」比利回答。此時，店門已經關了，一個聲音在詢問是否還有顧客在店裏。女店員沒有絲毫的猶豫，就走近後場，過一會兒她回來了，帶著一個用金色緞帶包裹得非常精美的籃子。比利簡直不敢相信自己的眼睛，當他向女店員道謝時，她笑著說：「你們小精靈在購物中心為人們散播快樂，我只是想給你一點小小的快樂而已。」

「聖誕快樂！」當他把禮物送到瑪麗的面前時，她竟歡喜地哭了，比利感到很開心！

一個假期，比利腦海中不斷浮現出那個女店員微笑的面容，一想到她的善良以

及帶給自己和瑪麗的快樂，比利總想為她做點什麼。能做什麼呢？比利惟一能做的就是給百貨公司寫了一封感謝信。

比利覺得這件事就這麼過去了，但一個月後，突然接到芬尼，也就是那個女店員的電話，請他吃頓午餐。當碰面時，芬尼給了比利一個擁抱，一份禮物，還講了一個故事。

原來，因為這封信，芬尼成了史脫姆百貨的服務之星。當宣佈芬尼得獎時，芬尼很興奮，也很迷惑，直到她上臺領獎，經理朗讀了比利的信時，她才恍然大悟，每個人都報以一陣熱烈的掌聲。

芬尼的照片被放在大廳，而且還得到一個十四K金的別針和一百元獎金。然而更棒的是，當她把這個好消息告訴父親時，父親看著她說：「芬尼，我實在為你驕傲。」芬尼激動地握著比利的手，說：「你知道嗎？我長這麼大，父親從來沒對我說過這句話！」

那個時刻，比利一輩子都記得。它讓比利瞭解到一個微不足道的幫助將會給他人帶來最大的改變。芬尼漂亮的籃子，瑪麗的快樂，比利的信，史脫姆百貨的獎

勵，芬尼父親的驕傲，整件事至少改變了三個生命。

幫助不是施捨

小馬就要出國念書了，但周圍的朋友都在擔心，她沒有足夠的費用，因為母親剛剛做完手術，已經花掉了家裏所有的積蓄。幾位好朋友都想借錢資助她，卻被小馬一一回絕。怎麼辦呢？小馬的脾氣這麼倔，寧可餓死，也絕不向朋友伸手。

小王靈機一動，想了個辦法。「小馬，聽說美國的心理學最好了，所以我想買些美國原版的心理學教材，你能否幫我留意一下？」小王塞給她二千美金，還特別囑咐道，「買之前記得先把書名告訴我，我再決定買不買。」小馬一口答應，而且出國不久就寄了很多新書資料給小王。但那些書，小王一直都不滿意，所以一本都沒要。

三年後，小馬學成回國。一見面，小馬就抱怨：「怎麼寄給你的那麼多書名，一本都不要呢？」然後，她拿出二千美金，還給小王，笑著說：「不過，說實話，你這二千美金還真幫我解決了不少問題呢！剛去的時候，沒有打工，就挪用

一個人賺的錢，
12.5%來自知識，
87.5%則是來自於關係。

了你的錢，是這二千美金幫我渡過難關的，真應該好好謝謝你呀！」幾個朋友相視一笑，趁小馬不注意的時候，從小王那裏各自取回自己的錢。

幫助別人，但記住不要讓對方有受施捨的感覺，應該給予對方最高的尊重。

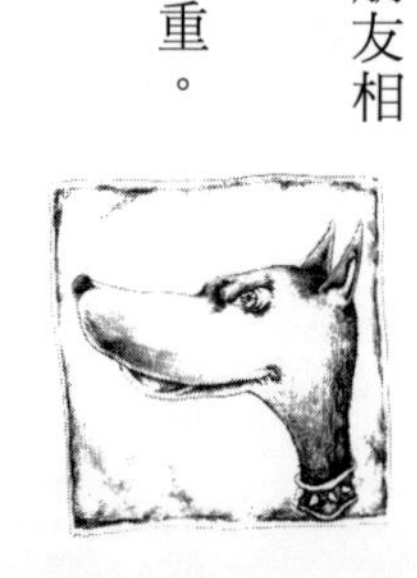

第三節　化干戈為玉帛——如何化敵為友

在人際交往中，對方的脾氣可能會時而晴轉多雲，時而多雲轉陣雨，甚至狂風驟雨。有時對你突然火冒三丈、說話粗魯且不留情面，令你十分難堪；有時語帶譏諷，或是委婉含蓄地對你抱怨。那麼，遇到這些情況時，你應當如何處理呢？如何將大雨轉成中雨，中雨轉成小雨，小雨轉成毛毛細雨，毛毛細雨轉為晴天呢？

衝突一旦發生，短時間內雙方可能都不好意思或不願接觸，日子一久便更加生疏，再解決就更難了。如果想化解這種情形，最好是藉助暗示法。不妨站在對方的立場設身處地想想，藉由他人之口或他人的意見拐彎抹角地傳達你的意思，不但能用於制止怒氣，還可以贏得他人的信賴。

化敵為友還有一個要點，就是抓住對方的性格特徵，以求對症下藥，比如《孫子兵法》中就提出了「怒而撓之」和「卑而驕之」等各種不同的克敵制勝之術。

「怒而撓之」就是如果敵將脾氣暴躁，就故意挑逗、辱罵使之發怒，使之情緒受到擾亂，不能理智地分析問題，以致破綻百出，如此一來，要打敗敵方就容易多了。「卑而驕之」則是遇上了力量強大且驕傲輕敵、狂妄自大者，便可對症下藥，用恭維的言辭和豐富的禮物麻痹對方，表示自己的卑微懦弱，對他的驕情推波助瀾，等到他狂妄之極，不知自己是誰，產生麻痹輕敵情緒時，再出其不意，給予有力反擊，必勝無疑。

俗話說，一把鑰匙開一把鎖。對某一個具體問題，有時嘗試很多方法均不奏效時，不要著急，更不能氣餒。如果能找到對症的辦法，相信問題一定能迎刃而解。面對不知所措的局面時，也是如此。

有時候，你我都可能會因某種原因而與人交惡或者使雙方陷入僵局，但是一時的嘔氣和衝突並不表示雙方就此成為永遠的敵人，只要及時打開僵持的局面，敵人便不再是敵人了。

打破僵局的方法有很多：包括退讓、等待時間來緩衝、暫時不予以回答、模糊焦點、轉化利害關係、靜心傾聽等。我們應該學會在不同的情況下靈活運用不同的

方法，千萬不要一時衝動、失去理智，火冒三丈、毫無顧忌地發洩情緒。

很多時候我們之所以會樹敵，是因為不瞭解對方的心理所致，因而在無意間冒犯了對方，所以只要能瞭解這一點，有效避開地雷，不闖入對方的禁區，彼此就可保持友好的關係。

瞭解人的心理是一件極其難能可貴的事。高爾基說：「沒有什麼比人的動機更珍奇、更寶貴的了。」瞭解他人處事的動機，自然你就容易掌握對方的優缺點，進而對症下藥；滿足對方的需求，進而化敵為友，讓你凡事得心應手。

總之，想要化敵為友，就要先將自己的情緒穩定起來，洞悉對方的個性，然後伺機而動，自然能突破阻礙、無往不利了。

原諒仇人

要是自私的人想占你的便宜，就不要去理會他們，更不要想去報復。當你想跟他扯平的時候，你傷害自己的，比傷害那人的更多……不要因為你的敵人而燃起一把怒火，熱得燒傷你自己。

聖經上說：懷著愛心吃菜，也會比懷著怨恨吃牛肉好得多。

耶穌所謂「愛你的仇人」，不只是一種道德上的教訓，而且是一種自我原諒，這不僅對我們的身體，也對我們的人際關係有莫大的好處。

當耶穌說，我們應該原諒我們的仇人「九十九次」的時候，他其實是在教我們怎樣做生意。喬治・羅納住在瑞典的艾普蘇那。他在維也納當了很多年律師，但在第二次世界大戰期間，他逃到瑞典，一文不名，需要找個工作。因為他能說並寫好幾國的語言，所以希望能夠在一家進出口公司裏找到一份秘書工作。絕大多數的公司都回信告訴他，因為正在打仗，他們不需要這類人，不過他們會把他的名字存在檔案裏等等。不過有封寫給他的信說：「你對我生意的瞭解完全錯誤。你既錯又笨，我根本不需要任何替我寫信的秘書。即使我需要，也不會請你，因為你甚至連瑞典文也寫不好，信裏全是錯字。」

當喬治・羅納看到這封信的時候，簡直氣得發瘋。於是喬治・羅納也寫了一封信，目的要想使那個人大發脾氣。但接著他就停下來對自己說：「等一等，我怎麼知道這個人說的是不是對的？我修過瑞典文，可是那並不是我家鄉的語言，也許

我確實犯了很多我並不知道的錯誤。如果是這樣的話，那麼我想得到一份工作，就必須再努力學習。這個人可能幫了我一個大忙，雖然他本意並非如此。他用這種難聽的話來表達他的意見，並不表示我虧欠他，所以應該寫封信給他，在信上感謝他一番。」

於是喬治・羅納撕掉了他剛剛已經寫好的那封罵人的信，另外寫了一封信說：「你這樣不嫌麻煩地寫信給我實在是太好了，尤其是你並不需要一個替你寫信的秘書。對於我把貴公司的業務弄錯的事我覺得非常抱歉，我之所以寫信給你，是因為我向別人打聽，而別人把你介紹給我，說你是這一行的領導人物。我並不知道我的信上有很多文法上的錯誤，我覺得很慚愧，也很難過。我現在打算更努力地去學習瑞典文，以改正我的錯誤，謝謝你幫助我走上改進之路。」

沒幾天，喬治・羅納就收到那個人的信，請羅納去看他。羅納去了，而且得到一份工作。喬治・羅納由此發現「溫和的回答能消除怒氣。」

我們也許不能像聖人般去愛我們的仇人，可是為了我們自己的健康和快樂，我們至少要原諒他們，忘記他們，這樣做實在是很聰明的事。

亡羊而補牢，未為遲也

每逢你企圖報復時，你就是在撕裂自己的傷口。

幾年前，彼特參加了一個人際關係的訓練班。在一次課上，一位老師要求大家列出過去自己曾感到羞愧、內疚、缺憾和悔恨的事情。一周後，他請大家大聲宣讀自己所列的清單。這看起來涉及隱私，但確實總有勇敢之人自告奮勇。聽了別人的陳述，彼特的清單愈發長起來，三周之後竟達一〇一條之多。之後老師建議大家想辦法彌補缺憾，向別人真誠道歉，採取行動來糾正自己的過失。當彼特正在猶豫不決，不知如何開口道歉時，老師講了下面這個故事：

二十年前，有個小男孩叫吉姆，他從小在艾奧瓦州的一個小鎮上長大，鎮上有個孩子們都討厭的官員。有天晚上，吉姆和兩個夥計決定要捉弄這個叫布朗的官員一番。喝了幾瓶啤酒，找到一罐紅顏料，他們便爬到鎮子中央的高高水塔之上，在上面用鮮紅的顏料寫道：「布朗是個狗娘養的」。第二天，鎮上的人們起來後都看到了他們的「大作」。兩小時後，布朗把他們三個人弄到他的辦公室。兩個夥

計都承認了錯誤而吉姆卻撒謊抵賴、蒙混過關。

這事都快過去二十年了。然而吉姆心裏一直為這件事感到內疚，他也不知道布朗是否仍在人世。終於在一個週末，他向艾奧瓦州的家鄉打電話查問，果然有個叫羅傑・布朗的先生。於是按照電話號碼他撥通了布朗家的電話。鈴聲響了幾下後，吉姆聽到一個聲音：「喂，你好。」吉姆問：「你就是那個叫布朗的官員？」那邊沈默了一下，「是的。」「那好，我是吉米・考金斯，我想告訴你那事我也有份。」又是沈默。「我早就知道。」他嚷道。他們於是大笑，相談得很愉快。最後他說：「吉姆，我一直為你感到不安，因為你的夥計們都已去掉了心病，而你這麼多年卻一直掛在心上。我應該感謝你打來電話……這是為你著想。」是啊，背負了二十年的十字架，現在終於卸下來了，吉姆感到前所未有的輕鬆。而故事中的吉姆其實就是老師自己。

聽完了吉姆的故事，彼特決定開始化解他所列清單上的一〇一條。這用了他兩年的時間，但這卻成了他以後從事矛盾調解工作的起點和動力。不論衝突糾紛多麼嚴重，他始終記著：摒棄前嫌，化解宿怨，亡羊補牢，為時不晚。

控制自己的情緒

惡語傷人與向別人投匕首沒什麼兩樣。

誰都有不順心的經歷，這是人之常情，但是如果不順心就找別人發洩或沖人出氣，那麼不僅不能解決問題，也深深地傷害了別人。

從前，有個愛亂發火、脾氣很壞的小男孩，他的父親為了使兒子改掉這個壞毛病，決定教育教育他。一天，他給小男孩兒一大包釘子，讓他每發一次脾氣，就用錘子在他家後院的柵欄上釘上一顆釘子。第一天，小男孩發了三十八次脾氣，在柵欄上就釘了三十八顆釘子。

過了幾個星期，由於學會了控制自己的憤怒，小男孩每天在柵欄上釘釘子的數目逐漸減少。長期的經驗使他發現控制自己的壞脾氣比往柵欄上釘釘子要容易得多……最後，小男孩終於改變了很多，變得不愛發脾氣了。他把自己的變化和感受告訴了父親。父親建議他說：「如果你能堅持一整天不發脾氣，就從柵欄上拔下一顆釘子。」幾個月過去了，小男孩終於把柵欄上所有的釘子都拔掉了。

這一天，父親拉著他的手來到柵欄邊，對小男孩說：兒子，你按我說的話做得很好。但是，你看一看那些釘子在柵欄上留下的那些小孔，柵欄再也不會恢復原來的樣子了。當你向別人發脾氣的時候，你的言語就像釘子一樣，在人們的心中留下很難癒合的疤痕。以後不管你怎麼挽救，傷害永遠客觀地存在。你要記住，要想不給別人帶來傷害，惟一的辦法就是控制自己的脾氣，不要輕易向別人發火，學會幫助別人，你才會有越來越多的朋友。

其實我們何嘗不是故事中的小男孩，對別人發牢騷、使性子，而全然不顧別人的感受，所以為了使自己不至於失去生命中最珍貴的親人、朋友，讓我們控制好自己的脾氣吧！

不要讓怒火燒傷理智

一八六五年四月十五日，中槍的林肯躺在福特戲院正對面一家廉價客棧的臥房裏奄奄一息。就在林肯的彌留之際，戰爭部長史丹唐說，「這裏躺著的是人間有史以來最完美的元首。」為什麼史丹唐會對林肯做出這麼高的評價呢？

原來，很多年前，有一次，愛德華‧史丹唐稱林肯是「一個笨蛋」。史丹唐之所以生氣是因為林肯干涉了史丹唐的業務，由於為了要取悅一個很自私的政客，林肯簽發了一項命令，調動了某些軍隊。史丹唐不僅拒絕執行林肯的命令，而且大罵林肯簽發這種命令是笨蛋的行為。結果怎麼樣呢？當林肯聽到史丹唐說的話之後，他很平靜地回答說：「如果史丹唐說我是個笨蛋，那我一定就是個笨蛋，因為他幾乎從來沒有出過錯。我得親自過去看一看。」林肯果然去見史丹唐，他知道自己簽發了錯誤的命令，於是收回了成命。如果林肯因為史丹唐罵他而堅持己見，則不僅會犯下一個嚴重的錯誤，而且還會失去史丹唐這麼好的一個下屬。從此，史丹唐對林肯的印象大為改觀，並成了他的偶像。

那麼林肯為人處世成功的秘密是什麼呢？他是否曾經也喜歡批評別人呢？當然，每個人在年輕的時候都難免不能控制自己的情緒，而且爭強好勝。在他年輕的時候，他不只是批評，還經常寫信作詩挖苦別人，故意把那些信件丟在一定會被別人發現的路上，搞得對方十分難堪，洋相出盡。林肯在伊州春田鎮執行律師業務的時候，甚至投書給報社，公開攻擊他的對手。然而，也就是這件事，改變了他的一生。

一八四二年秋天，他嘲笑了一位名叫詹姆斯・史爾茲的愛爾蘭人。林肯在《春田時報》刊出一封匿名信，大肆譏諷了他一番，言詞十分尖酸刻薄，令全鎮的人都捧腹大笑。史爾茲是個自負而好鬥、血氣方剛、敏感而驕傲的小伙子，他怎麼能忍受這種侮辱呢？於是怒火中燒的他立刻查出了寫這封匿名信的人就是林肯。立刻史爾茲跳上馬，找林肯要求決鬥。林肯本來不想跟他鬥，因為他一直反對決鬥；但是為了臉面他又不得不決鬥。對方給他選擇武器的自由，因為他的雙臂很長，他就選擇騎兵的長劍，並跟一位軍人學習舞劍。決鬥的那一天終於到了，他和史爾茲在密西西比河的一個沙灘碰頭，雙方都做好了決鬥到死的準備。但是，就在最後一分鐘，他們的助手及時趕來，阻止了這場決鬥。

回去後，林肯進行了深刻的反思。如果沒有助手的及時阻止，他們很可能一死一傷，造成兩敗俱傷的結局，而慘劇也就僅僅因為自己的一封信引起，也就是為了滿足自己的一點點虛榮心，一點點報復後的快感，這值得嗎？這次決鬥，在做人的藝術方面，給他上了生動的一課。從此他再沒有寫過一封侮辱人的信件，也從不取

笑任何人了。從那時起，他幾乎沒有因為任何事批評過任何人。

羅斯福總統回憶說，在他接任總統期間，每當碰到什麼棘手的問題，他總會習慣性地往後一靠，抬頭就看到掛在他白宮辦公室牆上的那張林肯的巨幅畫像，這時他就會問自己，「如果換了林肯，在這種情況下，他會怎麼做呢？他將如何解決這個問題？」每當我很想把別人「罵得狗血淋頭」時，我就會從口袋中掏出一張五塊錢的美鈔，看看鈔票上林肯的畫像，然後問自己：「如果林肯碰到這個問題，他將如何處置？」這時，羅斯福就會熄滅心頭的怒火，心平氣和地去思考解決的辦法，而不是責罵、發火。

馬克・吐溫常常也會大發脾氣，他寫的信火氣之大足以把信紙燒焦。例如，有一次他寫一封信給反對他的人說，「給你的東西應該是死亡埋葬許可書。只要你開口，我一定會盡全力幫你弄到這份許可書。」又有一次，他寫信給一位編輯，責怪一名校對企圖對他的拼字和標點進行改動，於是，他以命令的口吻寫道，「你們必須遵照我的底稿去做，讓那個校對把他的建議埋葬在他那已經腐朽了的腦子裏吧！」

寫這些刺痛別人的信，讓馬克‧吐溫感到大快人心。這樣做，他的氣出了，然而這些信件也從未引起過任何不好的反應，造成什麼危害。為什麼呢？因為他的太太已經悄悄地把這些信拿了出來，沒有付郵，所以這些信根本就沒有寄出去，也從未到達收信人的手裏。

鼓勵比批評更有效

包布‧胡佛是一位著名的美國試飛員，他常常在航空展覽中表演他高超而嫻熟的飛行技術，令大家歎為觀止。一次，他在聖地牙哥航空展覽中表演完畢後飛回洛杉磯。然而就在回去的途中，在空中三百尺的高度，突然兩具引擎突然熄火。這是從未發生過的事情，要知道如果沒有熟練的駕駛技術，後果將不堪設想。他沈著冷靜地操縱了飛機著陸，但是飛機受到嚴重損壞，所幸的是沒有人員受傷。

在緊急迫降之後，胡佛的第一個行動就是檢查飛機的燃料。完全如他所料，他所駕駛的「第二次世界大戰」時的螺旋槳飛機，居然裝的是噴氣機燃料，而不是汽油。

回到機場以後，他要求見見為他保養飛機的機械師，那位年輕的機械師正在為所犯的錯誤而極為難過，非常懊悔。當胡佛走向他的時候，他正淚流滿面。因為他造成了一架非常昂貴的飛機的損失，更嚴重的是，差一點還使得三個人丟掉性命。

我想，大家不難想像當時胡佛的憤怒和震驚！而且大家也一定能理解，因為，由於機械師的疏忽，很可能讓這位極有榮譽心、事事要求精確的飛行員在大庭廣眾之下出醜；更有可能送命。大家預料胡佛一定會痛責機械師吧！但是，胡佛並沒有責罵那位機械師，甚至沒有批評他。相反的，他用手臂抱住那個機械師的肩膀，對他說：「為了表示我相信你不會再犯錯誤，我要你明天再為我保養飛機。」是啊，此時發火也無濟於事，而且犯了大錯的人心裏本身已經非常難過，他需要的是安慰、鼓勵和信任。從此，這位機械師專職為胡佛保養飛機，懷著一顆感恩的心，他做得非常出色。

主動承認錯誤

如果你認為某人想要或準備責備你，也許對方是在吹毛求疵，這時你不要懊

惱，自己先行一步，主動地把對方要指責你的話說出來，那他就拿你沒有辦法了。在這種情況下，十之八九對方反而會以寬大、諒解的態度對待你，忽視你的錯誤。

費丁南・華倫是一位商業藝術家，他就是用這種方法，贏得了一位暴躁易怒的藝術品顧主的好印象。精確，一絲不苟，是繪製商業廣告和出版品的最重要項目。但有一位主顧總是喜歡雞蛋裏頭挑骨頭。每次，華倫離開他的辦公室時，總感覺不舒服，因為他攻擊的是華倫的創作方法，而他在這方面是沒有發言權的。「一次，我交了一件很急的完稿給他，沒多久他就打電話給我，要我立刻過去，說是出了問題。當我到了之後，看見他滿懷敵意，正如我所料——麻煩來了。在聽完他的惡意指責後，我平靜地說：『先生，如果你的話不錯，我的失誤一定不可原諒。我為你工作了這麼多年，實在該知道怎麼畫才對。我覺得慚愧。』沒想到他竟然開始為我辯護起來。『是的，不過畢竟這不是一個嚴重的錯誤。只是……』我打斷了他。『任何錯誤，代價可能都很大，是不能原諒的，』他想插嘴，但我不讓他插嘴，繼續不停地進行自我批評。最後，我向他道歉，說，『很抱歉，給你添了麻煩，為了讓您滿意，我打算重新再來。』『不！不！』他急忙反對起來。最後，

他甚至讚揚了我的作品，告訴我只需要稍微修改一點就行了，又說這只是小節──不值得擔心。」華倫講完這個故事後，補充道，「我急切地批評自己，卻使他怒氣全消。結果他邀我同進午餐，分手之前他開給我一張支票，又交給我另一件工作。」

一個人有勇氣主動承認自己的錯誤，不僅可以消除對方的怒氣，自己也可以獲得某種程度的滿足感。這不僅可以消除罪惡感和自我衛護的氣氛，更重要的是有助於解決這項錯誤所造成的問題。

第四節　人過留名——讓別人記住你

碰面時是否能立即想起對方全名，將使你和對方的親密度產生變化。比方說在文件上書寫對方的姓名時，如能立即寫出全名，對方必定會感到喜悅。反之，就像在賀年卡上寫錯姓名令人不愉快一樣，如果反問對方，「你的名字叫什麼來著？」對方肯定感到十分尷尬，錯愕不已。讓對方記住自己的姓名，是建立人際關係的起跑點。所以向人致禮時，最好能報出自己的全名。例如歐美人在報名時，最初必定報出自己的全名。然後才附加上自己任職的公司名稱。先報公司名稱再附加上個人姓氏的方法，已經成為日本上班族的規矩。這是因為日本人在意識上完全依附公司，無論何時也無法展開個人對個人的商業交往。

接名片時唸一遍

如果希望自己被人記住，就應該想想如何才能牢記他人的背景。

所謂人際關係寬廣的人，將別人所贈名片納入口袋前花費的時間較長。單就此點，即可明白一位上班族的專業化或外行，一流的上班族絕對不會立即將名片放入口袋裏。倘若正好坐著，便會將名片放在桌上，即使是在宴會之類的站立狀態下，也必定會暫時握著名片繼續交談。

如果換作自己的立場來想想，就不難明白自己遞出的名片隨即被收入口袋時，自己將感到何等寂寞。尤其是四五人同時遞出名片時，在放入口袋瞬間，「哎呀，已經弄不清楚誰是誰，全部混在一塊了」，你一定會如此想到。換言之，這種行為會讓你覺得對方表現出無意認識你的態度。對於上班族而言，所謂名片交換，最重要的便是這一點。一旦名片的處理方式草率隨便時，本人的工作態度也會被認為是敷衍馬虎的。

在一家旅館的大廳裏，一位客人來到服務台辦住宿手續，還未等客人開口，服務小姐就先說：「××先生，歡迎您再次光臨，希望您在這兒住得愉快。」

客人聽後十分驚訝，露出欣喜的神色，因為他只在半年前到這裏住過一次。這位客人因此而感受到了莫大的尊重，進而對那位服務小姐，甚至她所服務的旅館產

生了好感。

當然，由於各種原因，人們不可能將所有與他溝通過的人的名字全部記下來。但是要注意，如果萬一忘記了對方的姓名，也千萬不要像第一次見面那樣直接請教，否則對方會有一種被忽視、不受尊重的感覺，而應該盡力地回憶，比如與對方談一些第一次見面時的情景，萬一回憶不起來，便要用非常委婉的方式請對方告知，或坦率地承認自己的失誤，以彌補對方的缺憾。

充分自信

所有偉大的領袖式人物都懂得以自信方式行動的重要性。拿破崙，雖然在其他許多方面不能算是和諧溝通關係的楷模，但他確實知道自信行為方式的魔力，並且因此受益無窮。當拿破崙第一次被流放以後，法國軍隊受命捉拿他時，他不但沒有跑掉或躲藏起來，相反地，他勇敢地出去迎接他們——一個人對付一支軍隊。而且，他掌握局勢的極大信心奇跡般地生效了，因為他的行為似乎顯示他期望軍隊服從他的指揮，所以，士兵們在他身後以整齊的步伐前進了。

任何成功者都離不開自信。沒有人喜歡那種軟弱的、不果斷的人，這種人辦事時好像根本不知道自己在乎什麼或要做什麼。因此，他們成功的機會也就很少。

眾多的人在溝通中缺乏信心的一個重要原因就是不知道他在與什麼人打交道。就像一位技工要修理陌生的汽車發動機，他總會猶豫不決，每一個動作都顯示他缺乏信心。而一位高明的技工，由於他瞭解發動機的原理，他的每一個動作便都流露出自信。我們的溝通也是同樣的道理，我們越是瞭解對方，與他打交道時信心就越足。

在大蕭條時期，很多人失業，有個小男孩需要在暑假找份工作來交學費，便在報紙上努力地尋找相關的資訊。終於他找到一個合適的工作，第二天一大早就趕去應徵。但當他趕到的時候，前面已經排了很長的隊，而這個公司僅僅需要一個人。看到這種情況，小男孩馬上寫了個紙條，找到負責接待的小姐，說：「小姐，能幫我把這個紙條交給經理嗎？」秘書小姐很詫異，但還是爽快地答應了，把紙條交給了正在面試的經理。經理打開紙條，上面寫著：「您好！請您在面試第二十一號之前不要做出任何決定，因為我是二十一號。」經理滿懷好奇，想看看第二

十一號究竟是個什麼樣的男孩，所以在面試第二十一號之前，他沒有做出任何決定。最後的結果可想而知，經理錄取了這個小男孩。沒人會想到一個沒有工作經驗的小男孩，能打敗那麼多對手獲得這份工作，然而就憑著他的自信，他成功啦！

人們往往非常在意自己的缺點，甚至有很多人認為自己一無是處，是個無用之人，就像童話故事中的「醜小鴨」。這也是有些人在溝通中缺乏自信的根源。

事實上，任何人都不可能是「一無是處」的。在每個人的身上，都同時存在著缺點和長處，關鍵在於自己是否善於從自己身上找出這些優點和長處。

也許我們都有這樣的體驗：當你要到一流的飯店赴宴時，定會將自己最華貴體面的服飾穿戴起來，儘管你平時完全不修邊幅。其實，再華貴的高級場所，也沒有「身著便服，不得入內」的規定，只是我們為了要在心理上武裝一番，藉以強化自我，力求達到與一流飯店這種高級場所的平等關係。

在溝通中如果你缺乏信心時，不妨也穿戴上最華貴的「服飾」，找出足以榮耀自我的優點，那麼你將不會因感到低人一等而自卑了。所以，儘量找到自己的長處，即使是自認為不值一提的特長，利用自我擴大法，擴大成足以自豪的優點，藉

以縮短與對方的心理距離，這樣就會增加自己的自信心。

人們要培養自信心，就要明察自己的長處和短處。善於發現自己的短處，並以頑強的毅力加以克服，同樣也可以增強自己的自信心。

展現你的魅力

魅力也是溝通交往中不可忽視的一種素質。溝通交往除了一些工作上的「公事公辦」外，大多是憑著個人的興趣、需要、好惡等因素進行的。這裏，魅力就會產生很重要的作用。

所謂魅力，是指一個人所具有的吸引人的力量。在溝通中，人與人之間相互吸引的程度不同，往往造就了溝通關係的不同層次。

溝通吸引（或者說一個人的魅力）是受多種因素影響的，比如一個人的內在涵養和素質，外在的儀表、服飾，行為動作，地位和角色的為人羨慕、尊敬等。這些因素的差異以及交往個體能否巧妙靈活地運用這些因素，會直接影響一個人的魅力，影響溝通的程度和效果。如果我們在溝通中注意揚長避短，既表現自己的個

性，又把握住分寸，則會收到愉悅自己和吸引他人的意想不到的效果。

一個人的儀表是最先被對方的感官感知的，所以儀表因素是構成一個人魅力的最基本條件。亞里斯多德曾經說過，漂亮比一封介紹信更具有推薦力。事實的確如此，在其他條件相同的情況下，外表佔有優勢的人往往具有更大的魅力，尤其是在異性之間。美國曾有學者做過這樣一個實驗：讓一些男性評價假設都是女子寫的論文，有的在論文上還貼有作者的照片。結果發現，貼有漂亮女性照片的論文得分要高於不貼照片的論文，而所貼照片不漂亮的論文得分又低於不貼照片的論文。這說明，在溝通交往中，外貌的漂亮與否有著很大的影響力。

但是外表的漂亮並不是絕對的。比如，外貌的吸引力對於男性就比女性更為重要。男性更多的受女性外貌的影響，而男性的外貌對於女性的影響就要弱一些。更能說明問題的是，一個人的內在素質有時會影響他的外貌。一所大學曾經邀請一位身高一七〇公分的工人和一位只有一六五公分的哲學家同時給學生做報告。事後經過調查，發現所有學生都認為哲學家比那位工人長得高。雖然這裏並不排除兩個人在衣著打扮上的美感效應的差異，但更重要的還是演講內容、知識修養等內在因素

的影響。正所謂「情人眼裏出西施」，人與人之間內在素質的吸引力往往比外表的吸引力更強。

把握好最初幾分鐘

人們在初次見面的最初幾分鐘內所形成的第一印象非常重要。史那法‧佐寧博士在《溝通》一書中這樣寫道：「當你在社交場合遇到陌生人時，你應在最初幾分鐘內把注意力集中到他的身上。很多人的際遇會因此而改變。」

當你的溝通對象是你不太熟悉甚至是陌生的人時，最初的幾分鐘顯得尤為重要。至於這「最初的幾分鐘」究竟是多長時間，沒有一個固定的模式，有一種觀點說最初的四分鐘至關重要，即走向對方一分鐘，與對方握手一分鐘，寒暄二十秒鐘，坐上座位二十秒鐘。當然，這段時間的分配並不要求死板地遵守，但最初完成的四件事千萬不可馬虎。

走，這是初次見面的始點。走的時候，一定要走出自信，走出情感。

缺乏自信，是溝通的大忌。在溝通的「最初幾分鐘」內給對方留下自信的印

象是非常重要的，而我們身體的行動正表明了我們心裏的想法。如果你看到一個人低垂著雙肩向前行走，你會知道他的負擔幾乎使他難以承受了，他可能是處於失意或絕望的狀態；看到一個人低著頭，眼睛向下看，你便會感到他悲觀失望；而一個羞怯的人走路時往往缺乏信心，舉步躊躇，看起來好像害怕放開手腳，不敢真正充滿自信地大步前進。有自信感的人總是勇敢地大步向前，昂首挺胸，眼睛大膽地搜尋著他所需要的。

在溝通前讓對方知道他的溝通對象是一個充滿熱情、自信的人，那將是溝通成功的前兆。否則，對方會產生輕視或懷疑的心理而感到興味索然，失去交談的興趣和熱情，那也就無法奢望溝通的成功了。

迂迴推銷

在某些情況下，我們如果直接地正面向對方介紹自己，對方不一定會接受你；而如果想做一些事來讓對方欣賞，卻又苦於找不到適當的機會。這時，就需要我們採取迂迴的技巧，從側面表現自己，讓對方在不知不覺中認識你，接納你。

英國著名作家毛姆，年輕時就寫了很多作品，但一直默默無聞，苦於自己的書無人問津。要知道，一位作者要讓讀者接受自己，必須通過他的著作。而對於一個初出茅廬的無名小卒，不用指望有人會有興趣主動去讀他的書，甚至買他的書。如果直接向人推銷，逢人便說自己的作品是如何之好，八成的人是不會信服的，更多的人會覺得他是自吹自擂，進而對他產生不好的印象，更不用說買他的書了。正在左右為難、不知如何向人推出自己作品的時候，毛姆靈機一動，別出心裁地在報紙上登了這樣一則徵婚廣告：「某年輕百萬富翁，英俊瀟灑，性情溫和，愛好體育、音樂，希望能與毛姆最新作品中女主角性格相同之女士為友，而後論婚嫁……」

幾天以後，毛姆的著作大為暢銷，竟使毛姆躋身於著名作家之列。

一則小小的廣告能帶來如此神奇的效果，讓我們不得不讚歎毛姆自我推銷技巧的高明。他巧妙地利用人們的好奇心理，讓人們對他的作品發生興趣，進而也順理成章地將自己「推銷」給了讀者。

迂迴推銷技巧的精華就在別出心裁、藏而不露。波蘭音樂家蕭邦的成名，也是

通過這種迂迴的推銷方式達到目的的。

一九三一年，蕭邦從波蘭流亡到巴黎。當時，匈牙利鋼琴家李斯特已是聲名遠揚的音樂家了，而蕭邦只不過是一個默默無聞的小人物。但是，李斯特很欣賞蕭邦的音樂才華，但蕭邦一直沒有機會展示自己的才華，得到大家的認可。為使蕭邦的才華不至於被埋沒，在觀眾面前贏得聲譽，李斯特便利用自己演奏的機會，想出了一種別出心裁的方法：先由李斯特坐在鋼琴前彈奏，在燈光熄滅後，就悄悄地讓蕭邦代替他演奏。觀眾被琴聲征服了，等演奏完畢亮燈一看，原來坐在鋼琴前的竟是蕭邦，觀眾大為驚愕，卻又深深地為蕭邦的彈奏技藝所折服，蕭邦終於成功了。值得一提的是，李斯特推薦新秀的寬闊胸襟也深深地讓人們感動。

表現得與眾不同

人的才能需要主動表現，而不能一味等待「伯樂」來發現。只有表現，才會為他人所知，才會得到廣泛關注，那麼為你提供的機遇自然也就會多起來。有時，更巧的是會出現這樣的結局：在你的表現得到認可之時，就是機遇來臨之日。

在電影《飄》中因扮演女主角郝斯佳而一舉成名的費雯麗，就是在表現自我中抓住機遇而一舉成名的。當時《飄》已經開拍，但因為沒有合適人選，女主角的人選始終沒有確定。畢業於英國皇家戲劇學院的費雯麗決心爭取演出郝思佳。但她當時還默默無聞，根本沒有什麼名氣，怎樣才能讓導演知道「我就是郝思佳呢」？她決定毛遂自薦，方法是自我表現。一天晚上，剛拍完《飄》的外景，製片人大衛又愁眉不展了。突然，他看見一男一女相互攙扶著走上樓梯，男的他認識，那女的是誰呢?只見她一手扶著男主角的扮演者，一手按住帽子，自己把自己扮裝成了郝斯佳。這時，男主角突然大喊一聲：「喂！請看郝斯佳！」大衛一下驚呆了，「天呀，這不就是我要找的人嗎？一個活脫脫的郝斯佳！」費雯麗就這樣被選中了，成了女主角，並且一炮而紅，成了電影明星。

當然，不是所有人都有費雯麗那麼好的運氣，能夠一次成功。但是一次表現不成功，沒關係。俗話說，「精誠所至，金石為開」，你需要的就是耐心和恒心。一次不行，就多試幾次；一個地方不行，就多換幾個地方。表現多了，被發現、被賞識的可能性就會增加，相信有一天一定會達到推銷自己的目的。這是一種顯示創造力，超人一等的自我推銷方式。

款式新穎、造型獨特的物品常常是市場上的暢銷貨；見解與眾不同、構思新奇的作品往往供不應求。獨特、新穎就是價值。物如此，人亦然。他人不修邊幅，你就不妨稍加改變和修飾；他人好信口開河，你最好學會沈默，保持神秘感。時間越長，你的魅力越大；他人總是揚長避短，你可試著公開自己的某些弱點，以博得人們的理解與諒解；他人自命清高，孤陋寡聞，你應該盡力地建立一個可以信賴的關係網；他人虛偽做作，你要光明磊落，待人坦誠；他人只求可以，你則應全力以赴，創第一流業績；他人對上級阿諛奉承，你卻以信取勝。倘若你願意試試以上方法來表現自己，就一定可以收到異乎尋常的效果。

推銷自己的時候，要突出自己的特色，抓住自己最能打動別人的優點。

在一次選「香港小姐」的決賽中，為了測試參賽小姐的思維速度和應對技巧。主持人提出了這樣一個問題：「假如你必須在蕭邦和希特勒兩個人中間，選其中的一個作為終身伴侶的話，你會選擇哪一個呢？」其中有　位參賽小姐是這樣回答的：「我會選擇希特勒。如果嫁給希特勒的話，我相信我能夠感化他，那

麼第二次世界大戰就不會發生了，也不會有那麼多的人家破人亡了。」

這位小姐的巧妙回答贏得了人們雷鳴般的掌聲。回答這個問題難度很大，因為如果回答「選擇蕭邦」，則答案顯得沒有特色，理由也顯得平淡；如果回答「選擇希特勒」，會讓人耳目一新，但很難給予合理的解釋。那位小姐既選擇了出人意料的答案，又給出了合理而又充滿自信的回答，進而成功地推銷了自己的特色，她以自己的幽默、機智贏得了觀眾和評委，也贏得了這場比賽。

表現自己，突出自己特色的時候，還應該注意這個特色要能迎合對方的口味。

國父孫中山，當他還只是個初出茅廬的小伙子的時候。有一天，孫中山去張之洞的府上拜見這位清朝大員，遞上印著「孫中山」三字的名片，簡單說明了拜訪原因，請門房傳遞進去。那時，張之洞名聲顯赫，孫中山在他的眼裏不過是個無名小卒，他沒聽說過這個人，自然也不想見孫中山。於是，他傳話開側門，讓他吃一頓飯，然後自便。

孫中山很生氣，決不進側門，又叫門房傳話進去，說：「孫先生一定要面見張之洞兄長，面談當今大事。」張之洞看了看條子，心想：「這個孫先生有點意

思，膽子倒不小，這兄長二字也是能隨便叫的？真狂！」想著想著，就靈機一動，想試試此人，便想出個對子要孫中山對。於是，他出了個上聯，傳出門外給孫中山。孫中山一看，只見上聯為：持三字貼，見一品官，先生膽敢稱兄弟。稍加思索後，孫中山即對上：讀萬卷書，行千里路，布衣本可傲王侯。看門的人立刻把下聯傳進去。張之洞一看，不禁又驚又喜，立即傳命：「開中門請孫先生。」

孫中山之所以能夠成功地推銷自己，這與他強調自己「讀萬卷書，行千里路」的特色有很大的關係。張之洞還是比較喜歡讀書人的，加上孫中山給他戴上王侯這個「高帽」，他自然大喜。需要注意的是，使用什麼方法都必須看對象。有些人，一戴上「高帽」，他就會使出渾身力氣幫你辦事；有的人則不然，你給他戴「高帽」，反而引起了他敏感性的警惕，以為你是不懷好意；有的人剛愎自用，你用激將法，才能使他把事辦好；有的人脾氣暴躁，討厭喋喋不休的長篇說理，跟他說話辦事就不宜拐彎抹角。

第五節　山不轉，路轉——如何跨越人際障礙

人際交往能力突出的根本是：跨越文化的敏感區。優秀的聯盟經理清楚，在不貶低自己或合作夥伴的前提下，如何和具有不同價值觀的人相處融洽。

不越雷池半步

在人際交往中，一方面要「投其所好」，另一方面，也要注意對方的禁忌，否則容易在不知不覺中得罪對方，而自己卻渾然不知，影響彼此今後的交往。

首先，切忌主動提及別人的隱私。客觀地說，每個人都有一些不願公開的秘密。尊重別人的隱私，是尊重他人人格的表現。所以，當你與別人交談時，切勿魯莽地隨意提及別人的隱私，這樣，別人就會覺得你遵循了人際交往的「禮貌原則」，便會願意跟你交談和交往。反之，你若不顧及別人保留隱私的心理需要，盲

目觸及「雷區」，不僅會影響彼此之間談話的效果，而且還使別人對你產生不良印象，進而損害人際關係。比如，別人的戀愛、婚姻正遭遇某種挫折，而且又不願向旁人透露時，你若在交談中一味地追根究底，就會引起對方的反感。

對於什麼是隱私，這是一個難以說清楚的話題。隱私的標準在於每個人自己，沒有一個大家都認同的標準。以前，中國人也有隱私，但沒有受到重視。隨著與西方民族接觸越來越多，我們更注意自己的隱私了。很多人在隱私方面的觀點和看法，越來越西化了。

舉個例子來說明，東方人和西方人對隱私方面的不同看法。

在美國，有一位東方女性去公園時，看見一個很可愛的美國小姑娘，金黃的捲髮，藍色的天真的大眼睛，真像芭比娃娃，不自覺地對她產生一種親近感，便問她今年幾歲了。小姑娘回答完問題後，反問到：「你幾歲了？」這位女士沒什麼不妥的反應，但周圍的老外們似乎聽到了口令一樣，一個個都緊張地注視著她，小姑娘的媽媽制止小姑娘，並不斷向她道歉，因為成年人的年齡是隱私。

在國外，小孩的年齡可以問，但成年人的年齡就是隱私。不同的國家、不同的

民族、不同的文化傳統對隱私的認識不同。具體到每個人，對隱私的認識也有不同。在與朋友交往時，應逐漸瞭解對方對隱私的認識，這樣才能尊重對方的隱私。

尊重隱私，首先是不主動探求對方隱私。對方把某個領域劃為隱私，對這個領域就有特殊的敏感，任何試圖闖進這個領域的話題都是不受歡迎的。但對方不會明白的告訴你：「這是我的隱私，你無權過問」。所以，我們只能憑與朋友交往過程中的感覺，自己進行判斷。如果在交往過程中，朋友從未對你主動提起過某一方面的情況，說明朋友將之視為隱私，你就不要主動打聽。對於大家公認的隱私，你就更不要觸及。要懂得如何發現對方的隱私。如果我們不知道自己要開始的話題是否是朋友的隱私，自己又對這個話題非常感興趣，就需要運用技巧先試探一下。

其次，忌主動提及別人的傷感事。與別人談話，要留意別人的情緒，話題不要隨意觸及對方的「情感禁區」。比如，當你的交談對象正遇到某種打擊，情緒很沮喪時，你與之交談，對方又不願主動提及傷感的事，你最好迴避這類話題，以免使對方再度陷入「情感沼澤」，進而影響彼此間的繼續交往和交談。

最後，忌主動提及別人的尷尬事。當別人在生活中遇到某些不盡如人意之事

時，你若與之交談，最好不要主動引出這一令人尷尬的話題。比如，別人正遇上升學考試不及格，抑或提拔升遷沒能如願，抑或某項奮鬥目標未獲預期的成功等等，而別人又不願主動向你訴說時，你若不顧別人的主觀意念而主動問及此事，那麼，你的交談對象就會因此陷入尷尬，進而對你的談話產生排斥心理。

魅力還是厚臉皮

魅力與「厚臉皮」的結合，是一部充滿活力的二重奏。讓我們走出黑暗、開放心胸。

要打入人群，就要認清絆腳石、適時適用補救措施，並瞭解各種潛在的收穫。但是最後能讓我們真正走出黑暗、放開心胸的，是充滿活力的二重奏——魅力和厚臉皮。

魅力與厚臉皮？沒搞錯吧！顧名思義，兩者豈不是互相抵觸，背道而馳嗎？其實不儘然！以往我們對「厚臉皮」的定義是負面的，指帶有侵略性、唐突且令人厭惡的厚顏無恥。但在這裏，「厚臉皮」不是侵犯、莽撞、不尊重，或是恫嚇、

欺負他人，而是一種勇於冒險的精神。厚臉皮，讓我們能帶頭打破僵局，開啟話題，更讓我們鼓起勇氣走入宴會、募款基金會、舞蹈教室或會議廳，作好深呼吸，開始找人自我介紹。厚臉皮真的有用嗎？不然你說，打入人群還需要什麼呢？

八〇年代對「厚臉皮」的定義已大為轉變。「厚臉皮」被視為一種管理方式。心理學家加菲在《厚起臉皮來》一書中，認為「厚臉皮」是「成功管理者的特質之一，但卻常遭忽視」。

厚臉皮讓我們不怕被拒絕，敢於要求我們所想要的。所以我們辦事前，就要設身處地為他人想一想，瞭解別人心裏想的是什麼、需要什麼，然後熱情為他們服務，這樣就能左右逢源、暢通無阻。

引導對方說「是」

當您和某人開始交談時，不要選擇有分歧的話題，而應選擇意見一致的話題。要設法說明，你們的追求是一致的，所不同的只是方法。所以，與人開始談話時儘量讓他說「是的、是的」，應儘量不讓他說「不」。

「不」這種答覆是最嚴重的障礙。如果一個人說出了「不」字，他的自尊心就會促使他一直堅持到底。事後他或許認識到這個「不」字不明智，然而他要顧全自己的面子，非這樣做不可。他既然說了，就必定要堅持。因而與人交談時，不給對方創造說「不」字的條件是很重要的。

善於交談的人總是在最初就能得到肯定的答覆。他能掌握對方的心理活動，引導他們做出肯定的回答。

當一個人說出「不」字時，他的心理也確實是這樣想的，不單是口頭說說而已。他的整個神經思維系統都同「贊成」處於對峙狀態。但當這個人說「是」的時候，上述情況就絕對不會發生。因此，我們在談話開始時得到的「是」越多，就能越快地獲得對方對我們意見的贊同。

這種方法非常簡單。但人們對它卻是視而不見。似乎常有這種情況，人們習慣以首先表示反對意見來維護自己的尊嚴。激進者同保守者談話時，立刻就能激起保守者憤怒。儘管蘇格拉底曾窮得連鞋都穿不上，但他是一位傑出的人物，在他死了二千三百多年的今天，人們仍然把他作為一位能使這個充滿矛盾的世界信服，並能

對它施加影響的英明人物來敬仰他。他的方法是什麼？他對人們說過他們不對嗎？沒有，他從來不說。他的交際方法被稱作「蘇格拉底方法」，最根本的就是得到肯定的回答。他提出他的對手不得不同意的一些問題，這樣，他就得到許多肯定的回答。那麼，他的對手在還沒意識到，還沒得出結論之前，就已經自然而然地同意他的觀點了。

早在一九一五年，小洛克菲勒還是科羅拉多州一個不起眼的人物。當時，發生了美國工業史上最激烈的罷工，並且持續達到數年之久。憤怒的礦工要求科羅拉多燃料鋼鐵公司提高薪水，小洛克菲勒當時正負責管理這家公司。由於群情激憤，公司的財產遭到破壞，軍隊前來鎮壓，因而造成流血，不少罷工工人被槍殺。最後，小洛克菲勒後來卻贏得了罷工者的信服，結束了這場悲劇。他是怎麼做到的呢？那就是，讓對方不斷地說「是」，最終取得了和平解決的談判成果。

讓對方在一開始就說「是，是的」。假如可能的話，最好讓你的對手沒有機會說「不」。「不」的反應是最難克服的障礙，當你說了一個「不」字之後，你那本性的自尊就會迫使你繼續堅持下去。雖然以後你也許發現這樣的回答有待考慮。但是，你的自尊、面子往哪裡放呢？一旦說了「不」，你就發覺自己很難擺脫。所以，如何讓對方一開始就朝著肯定的方向作出反應，這對你們的結果是很重要的。

學會說「不」

為人處世，你一定經常遇到這樣的問題：一位朋友突然開口讓你幫他做一份難度很高的工作。答應吧！可能自己很為難，而且也不符合某些原則；拒絕吧！面子上實在過不去，畢竟是多年的朋友。那麼，怎麼找一個既不會得罪朋友，又能把這項工作順利推出去的理由呢？

有人可能會直接對朋友說：「不行呀，我辦不到！」這絕對不是最佳的選擇，可能會讓你們以後連朋友都沒得做。

那麼，如何拒絕對方，又能不傷對方的感情呢？先傾聽，再說「不」！當你的朋友向你提出要求時，他們心中通常也會有某些困擾或擔憂，擔心你會馬上拒絕，擔心你會給他臉色看。因此在你決定拒絕之前，首先要注意傾聽他的訴說，比

較好的辦法是，請對方把處境與需要，講得更清楚一些，自己才知道如何幫他。接著向他表示你瞭解他的難處，若是你易地而處，也一定會如此。傾聽能讓對方先有被尊重的感覺，在你婉轉表明自己拒絕的立場時，也比較能避免傷害他的感覺，避免讓他覺得你在應付他。傾聽的另一個好處是，你雖然拒絕他，卻可以針對他的情況，建議他如何取得適當的支援。若是能提出有效的建議或替代方案，對方一樣會感激你。甚至在你的指引下找到更適當的支援，反而事半功倍。

傾聽完了，確定自己不能幫助對方時，就要溫和而堅定地說「不」，而不要含糊其辭，更不能因為礙於面子而違心地先答應對方。或許你懷著僥倖心理，認為自己可以幫忙，或者你認為他自己能解決，到時候就不會找你麻煩了。這種想法千萬要不得，試想，如果你先答應，但到時候不能遵守諾言，而且也耽誤了對方尋找別的途徑，你又如何面對你的朋友呢？到時候一切已成定局，恐怕你怎麼道歉，也無法挽回什麼，尤其是你們之間的感情！所以，當你仔細傾聽了朋友的要求、並認為自己應該拒絕的時候，說「不」的態度必須是溫和而堅定的。好比同樣是藥丸，外面裹上糖衣的藥，就比較讓人容易入口。同樣地，委婉表達拒絕，也比直接

說「不」讓人容易接受。如果對方的要求是違反規定或原則時，你就要委婉地表達自己的職責，讓對方知道，並暗示他，如果自己幫了這個忙，就超出了自己的職權範圍，違反了有關規定，可能需要承擔責任。一般來說，朋友聽你這麼說，一定會知難而退，體諒你的難處，再想其他辦法。如果對方執意要求，也不能因為怕傷感情而違背原則，寧願失去這個朋友，仍然要堅定地說「不」。相信如果他是你真正的朋友，是不會為難你的。

拒絕的時候，除了可以提出替代建議，隔一段時間還要主動關心一下對方的情況，詢問事情辦得如何。有時候拒絕是一個漫長的過程，對方會不定時提出同樣的要求。若能化被動為主動地關心對方，並讓對方瞭解自己的苦衷與立場，可以減少拒絕的尷尬與影響。當自己滿足對方的要求時，這種主動的技巧更是重要。拒絕的過程中，除了技巧，更需要發自內心的耐性與關懷。若只是敷衍了事，對方其實都看得到。這樣子有時更讓人覺得你不是個誠懇的人，對人際關係傷害更大。總之，只要你是真心地說「不」，對方一定會體諒你的苦衷。

其實，大凡來求你辦事的人，都是相信你能解決這個問題，抱有很高的期望

值。一般而言，對你抱有的期望越高，越是難以拒絕。在拒絕要求時，倘若多講自己的長處，或過分誇耀自己，就會在無意中抬高了對方的期望，加大了拒絕的難度。如果適當地講一些自己的短處，就降低了對方的期望，在此基礎上，抓住適當的機會多講別人的長處，就能把對方求助目標自然地轉移過去。這樣不僅可以達到拒絕的目的，而且使被拒絕者因得到一個更好的出路，由意外的成功所產生的愉快和欣慰心情，取代了原有的失望與煩惱。

學會道歉

與人交往，難免會什麼時候得罪對方或者產生什麼誤會，這時，不要害怕，應該及時地表示歉意。道歉其實是一門藝術，道歉得好，效果就好，否則，難以收效。

道歉的時候，要選準時機。一般來說，道歉要及時，不宜拖延。應道歉的時候，就馬上道歉，越耽擱就越難啟齒，拖延會使這種表示更為困難——有時甚至成為不可能，使你追悔莫及。但是，如能選擇對方心情舒暢愉快的時候進行，效果則

更佳，這時刻，疙瘩最易解開。

道歉的時候，一定要真誠，態度要率直，不要老是為自己辯解。飛快地承擔自己的責任，是道歉的關鍵因素。美國學者蘇珊・雅格貝深有體會地說：「當你說『對不起』時，不要眼睛看著地，要抬起頭，注視對方。這樣，他才會理解你。」道歉的第一個秘訣是：「道歉必須要直截了當，不要推卸自己的責任。」錯就是錯，不必吞吞吐吐，含含糊糊，更不需要辯解、找藉口，這些都會沖淡道歉的效果。所以，必須有勇氣並樂於為自己的過錯承擔責任。除非你的道歉意味著真正的悔悟，否則它就不會產生和解的作用，因此務必說的是真話。

道歉的時候，實事求是就好。不必言過其實地誇大矛盾，也不要承擔不屬於自己的責任，更不要奴顏婢膝地去取悅別人。如果不是你的錯，就不要為息事寧人而認錯。這種做法對任何人都沒有好處。道歉要保持一種尊嚴。道歉即是認錯，說明你是在試圖糾正你的錯誤，這種行為理所當然應當得到應有的尊重。

有時候，對方可能不會一次就接受你的道歉，這個時候，千萬不可灰心喪氣。想想自己也許是傷害對方太深，致使對方一時不能諒解自己。一次登門碰壁不要

緊，你應當再去，第二次、第三次……相信你的真心誠意，一定可以打動對方。

道歉不光是簡單地說聲「對不起」、「請原諒」，而應該認真檢討自己的過錯，責己從嚴，對人從寬。倘若你不善於口頭表達，或難於說出口，那麼就傳遞一個表示和解的信號。你可採用寫信和寫便條的形式來表達你的歉意，有時，「書面」比「口頭」道歉效果更佳。另外，具有象徵意義的禮物也能使人們前嫌冰釋。比如，一場爭吵之後，一束花可以撫慰被尖酸刻薄的話語刺傷的心，一個小小的禮物也能夠轉達你的道歉——而且它的效果是永久性的。

不要苛求

孟子說過：愛人者，人恒愛之；敬人者，人恒敬之。每個人都有自己優點和長處。同樣，每個人也都有缺點和弱點。如果你向來注意的是朋友的優點，你就會愛友敬友，對朋友的弱點或過錯就能不介意；如果你平時耿耿於懷的是朋友的缺點和不當，你就會什麼都不順心，不滿意，自然無寬容之理。

對於血肉之軀的人來說，受人挑剔和輕蔑是不痛快的，只會滋生對抗心理，許多夫妻不睦、家庭不和以及離婚事件，都是源於家人間相互的挑剔和責怪。所以，我們要學會「愛人」、「敬人」的本領，就不要亂挑剔，這也「不是」那也「不是」。和睦相處的秘密就在於彼此尊重對方的弱點。推而廣之，要想獲得深厚的友誼和建立良好的人際關係，就必須從寬容他人的弱點開始。

水至清則無魚，人至察則無友。沒有魚的水是死水一潭，沒有朋友的人也是不可想像的。與人交往時，我們必須對朋友的人格獨立、人身自由、行動自主，給予足夠的尊重。彼此相互的行為協調、關係密切的程度，應由雙方的意願、交往的實際決定，千萬不能不顧實際、強求一致。過分地強求，不是違心地改變自己，就是蠻橫地改變朋友。前者是愚蠢，後者是霸道。苛求是自設羅網，自縛手腳，只能損友害己，失去友誼，失去朋友，所以人際交往不能苛求什麼都相同。

擁有積極的心態

一種積極的心理態度是一塊強有力的磁石，將會如同花蜜吸引蜜蜂一樣，將其他人吸引到你身邊。如果你面對世界展現出一種溫暖的陽光般的外貌，你的朋友和

商業夥伴就會自然而然地願意聚集在你周圍。如果你真心希望成為一個人際關係大師，你必須學會積極樂觀，並且期待著美好的事情降臨在你的身上。

你或許已經聽說過一對孿生兄弟的故事。他們一個是樂觀主義者，一個是悲觀主義者。悲觀哥哥總是非常消極，抱怨每一件事情，而樂觀弟弟總是透過玫瑰色的眼鏡去讚美地看待每一件事情。在耶誕節來臨的時候，他們的父親想考察一下他們的真實態度。他在悲觀哥哥的聖誕樹上放了可以想像的每一種漂亮的玩具——一輛自行車，一個籃球，一枝來福槍，成打的能讓一個小孩子高興的禮物。而在樂觀弟弟的聖誕樹上，他只放了一堆馬糞——作為給樂觀弟弟的惟一聖誕禮物。

耶誕節早上，爸爸躲在一張沙發後面觀看。悲觀哥哥首先進了房間，看見了上面寫著他的名字的全部玩具。他立刻開始抱怨：「如果我把這輛新自行車拿到外面去騎，並且摔了一個大筋斗，我就一定會弄傷自己，爸爸就會擔心的要死。啊，這裏有一個籃球，我知道第一次玩的時候，我就一定會把它打爆的。啊哈，這裏有一枝來福槍，但是我最好還是別拿它玩，因為毫無疑問我會把鄰居家的窗戶打碎的。」他就這麼說著說著，說個不停，深深地陷入悲觀的情緒中，耶誕節的早晨

對於他來說簡直變成了一場災難。

接著，樂觀弟弟走了進來，當他看見上面寫著他的名字的那一堆馬糞的時候，就開始高高興興地在房子裏跑來跑去，看每一間房間，看車庫，還看房後的草地，當他的父親把他摟在懷裏，並且跟他說：「兒子，你在找什麼呀」，樂觀弟弟回答說，「爸爸，根據我在聖誕樹上發現的那堆馬糞，我就知道房子裏的什麼地方一定就會有一匹小馬了。」

在人與人之間的關係當中，一種積極樂觀的心理態度扮演著一個重要角色。它會傳染，會影響他人。保持積極樂觀的心情，你就能夠在和人打交道方面做得更好。

如果你對世界不滿，想要改變，必須先從自己開始。只要你做對了，你的世界就會上軌道，所有的難題都能迎刃而解。

星期六早晨，一位牧師正準備佈道的講稿。他的妻子外出購物，外面下著雨，他的小兒子強尼無事可做。牧師隨手拿起一份舊雜誌，隨意翻閱，看到一副色彩鮮豔的世界地圖。他把那一頁地圖撕下來，再撕成碎片，散落在客廳的地板上。

「強尼，如果你把這張地圖拼回去，我就給你兩角五分錢。」

牧師認為這樣夠強尼忙一個早上了。結果，不到十分鐘，強尼來敲他書房的門。他這麼快就把地圖拼好了，牧師感到非常驚訝。

「兒子，你怎麼做得這麼快？」牧師問。

「很簡單，」強尼說，「地圖的背面是一個人。我照著人的樣子拼好，再翻過來就可以了。我想，只要人對了，世界就對了。」

牧師笑著給他的兒子兩角五分錢的美金。「你給了我明天佈道的靈感。只要人對了，世界就錯不了。」

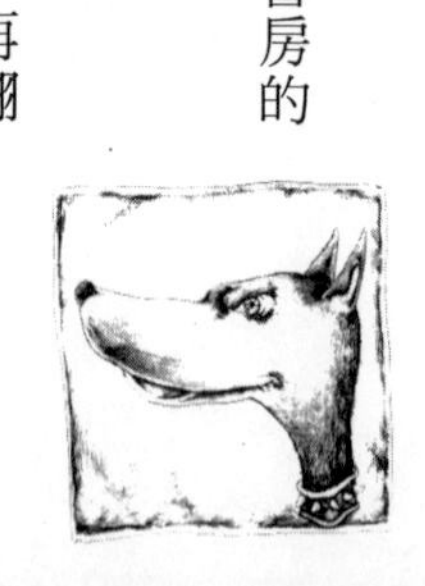

第六節　距離產生美——如何把握最佳人際距離

叔本華曾經講過一個「豪豬哲學」：一群豪豬在寒冷的冬天相互接近，為的是通過彼此的體溫取暖以避免凍死，可是很快它們就被彼此身上的硬刺刺痛，相互分開，當取暖的需要又使它們靠近時，又重複了第一次的痛苦，以至於它們在兩種痛苦之間轉來轉去，直至它們發現一種適當的距離使它們能夠保持互相取暖而又不被刺傷為止。根據叔本華的這一比喻的延伸，人與人之間也應有一定的距離。即「身體距離」和「心理距離」，「身體距離」即「私人空間」；「心理距離」即「孤獨感」。

所謂「私人空間」，是環繞在人體四周的一個抽象範圍，用眼睛沒有辦法看清它的界限，但它確確實實存在，而且不容他人侵犯。無論在擁擠的車廂或者電梯內，你都會在意他人與自己的距離。當別人過於接近你時，你可以通過調整自己的位置來逃避這種接近的不快感；但是擠滿了人就無法改變，於是就只能以對其他乘

客漠不關心的態度來忍受心中的不快，所以看上去神態木然。

有關資料介紹：私人空間的形狀與大小可利用所謂接近（或被接近）實驗的方法來確定。專家們在廣場中心位置安排一個人站著，然後讓受試者一步步地接近目標人物，這時就會發現，「過分接近對方而引起不快」的位置。這一位置就是「私人空間」的界線。實驗證明：當受試者與目標人物認識時，「私人空間」比互不認識要小，而異性之間的空間卻要比同性之間來得大。尤其是女性受試者去接近男性目標人物時，私人空間擴張到最大。

人們把自己關閉在家裏，不容許別人的擅自闖入，是因為只有在家裏才感到安全和放鬆，這就是「私人空間」保護作用的心理。

在車站、公園供人休息的長凳上，通常坐兩端的人多，一旦兩端位置都有人佔據，幾乎很少有人會主動坐在中間位置。我們通常能夠看到這種現象，最多能坐四個人的一排長凳，先來的人坐在凳子的正中，後來的人會坐在長凳的一邊，而正中的人則會挪到長凳的另一端。於是，原本可以坐四人的長凳，兩個人就「客滿」，難怪現代車站都已改為長排單一座位。

人和人的距離該有多遠

小莉剛畢業去的是一家小公司，十幾個人，低頭不見抬頭見。小莉先是埋頭苦幹，「老師、老師」地不離口，倒也過得安穩，後來跟王姐聊得火熱。

這王姐人雖熱情，但是非太多，沒有她不知道的事。她和公司裏的張姐就像仇人。小莉看在眼裏，也沒多想，王姐跟她嘮叨張姐的種種不好，小莉也附和著。上班的時候，嘴閒不住的王姐常常來找小莉聊天，小莉也不避旁人地公開陪聊。而且因為跟王姐好，小莉對張姐也愛理不理的。

有一天，老闆讓負責資料的王姐分給每人一個畫冊，王姐就叫小莉來幫忙。張姐此時有事要出去，就跟王姐商量「能不能先給我一本？」，王姐擺出一個不理的架勢，張姐呢就轉過來和小莉說，小莉當時也沒回話。

張姐沒拿畫冊轉頭就走，明顯帶著氣憤。說來複雜，這張姐又和老闆關係不錯，所以公司裏的人都不敢捲進張、王的是非之中。

第二天，小莉就感覺大家看自己的眼神和說話的語氣有點不對，小莉覺得可能

是和張姐有關。小莉反省了一下自己，覺得王姐是個過於是非的人，沒有必要因為她和張姐鬧那麼僵，所以小莉對王姐開始疏遠。

但是慢慢地，小莉發現自己在公司裏越來越受孤立，張姐和王姐的關係依舊，但她們都對小莉不怎麼樣。小莉從她們對自己的臉色中可以看出來。而且，如果老闆要找小莉，恰巧小莉不在的話，周圍的同事也不說幫她搪塞一下，反而是在小莉回來後幫著老闆責問她：「找你那麼半天，你去哪兒了？」，而王姐呢，從外地出差帶來的特產，讓這個嘗、那個嘗，惟獨沒叫小莉。在這種環境裏，小莉覺得自己每天上班都在熬日子。後來小莉不得不離開那家公司。現在，小莉覺得自己很懼怕和人交往的距離問題，她覺得關係越好，將來受到的傷害就越大，但是如果維持一種冷淡的關係，小莉又覺得缺少朋友，很寂寞。

劉教授有這樣一個比喻，他說，大多數年輕人都喜歡汽車，在擁擠的車道或高速公路上都能很純熟地駕車，因為他們的反應快，而且對自己駕車的技術有信心。但出交通事故的，也往往是這些年輕人，雖然事故的發生有多種原因，但因看不清對方車道而產生的摩擦事故最多。要避免撞車，就要注意車距。

所以，劉教授認為，人際關係中，與他人保持距離是很重要的，要依據對方的利害關係、上下級關係來調整彼此的距離。此外，說話態度（相當於剎車）的改變，也是調整間距的方法。

人際交往中不要「過度投資」

不要對人太好了！好事幾乎都被做盡了，也會給你帶來意想不到的結果。對一個有勞動能力、心智健全的人來說，獨立、付出都是內部的需要。人際關係中如果不能相互滿足某種需要，那麼這種關係維持起來就比較困難。在卡耐基成功人際交往思想中，很重要的就是要遵循心理交往中的功利原則——這一原則是建立在人的各種需要（包括精神的、物質的內容）的基礎上，即人際交往是滿足人們需要的活動。心理學家霍曼斯早在一九七四年就曾經提出人與人之間的交往本質上是一種社會交換，這種交換跟市場上的商品交換所遵循的原則是一樣的，即人們都希望在交往中得到的不少於所付出的。其實豈止是得到的不能少於付出的，如果得到的大於付出的，也會令人們心理失去平衡。

人際交往要有所保留，初入社交圈中的人常犯的一個錯誤就是「好事一次做盡」，以為自己全心全意為對方做事一定會關係融洽、密切。事實上並非如此。因為人不能一味接受別人的付出，否則心理會感到不平衡。「滴水之恩，湧泉相報」，這也是為了使關係平衡的一種做法。如果好事一次做盡，使人感到無法回報或沒有機會回報的時候，愧疚感就會讓受惠的一方選擇疏遠。留有餘地，好事不應一次做盡，這也許是平衡人際關係的重要準則。

留有餘地，適當地保持距離，因為彼此心靈都需要一點空間。如果你想幫助別人，而且想和別人維持長久的關係，那麼不妨適當地給別人一個機會，讓別人有所回報，不至於因為內心的壓力而疏遠了雙方的關係。而「過度投資」，不給對方喘息的機會，就會讓對方的心靈窒息。留有餘地，彼此才能自由暢快地呼吸。

第七節　三人行，必有我師——建立你的良師俱樂部

人生有三次投胎機會，一是出生，二是結婚，三是……

這是臺北國際書展最後一天。細雨中，臺北世貿中心門口排著長達三百人的人龍，耐心地等待一位日本漫畫家的簽名。他們苦等的對象，就是創造日本職場偶像「島耕作」的漫畫大師弘兼憲史。

弘兼憲史是日本知名漫畫《課長島耕作》系列的作者，漫畫中的主角島耕作從最基層的課員做起，經過三十年的歲月，最後升任為總公司董事。

日本超過一半以上的上班族都看過「島耕作」，因為每個人都希望像他一樣能夠有貴人相助，一路發達。島耕作由小職員到董事之路，他成功的秘密究竟是什麼？除了能力，島耕作升官的秘訣在於擁有一個「良師俱樂部」。這個「良師俱樂部」，包括他的直屬長官、已過世的公司創辦人與其女婿。這些貴人們共同的特徵是「職位高、有智慧、經驗豐富的長者」，由他們組成的「良師俱樂部」，是

「島耕作」生存、發展、壯大的秘密武器。

建立俱樂部

選擇最成功、最有能力的人當良師，直屬上司，公司內、外的高層主管皆可。只一位良師，他的專業、經驗和視野及人脈關係可能不夠寬廣，對你的成長幫助可能有限。你需要不同的良師顧問，以充實你的「良師俱樂部」。一個人想要發展、成長，不只要接近一位良師，而是應該組成個人的「良師俱樂部」。他們可以幫助你瞭解業界最新的動態，甚至可以分享有關職位的機密消息。有了每一層階梯的扶手，讓你不至於一路走來，跌跌撞撞。一個良師就能讓你的一生改變，但大部分的人都是無意識地尋找良師。如果你能瞄準目標、精確出手，有計劃成立個人的「良師俱樂部」，吸收良師的知識、人脈、視野，必然可以在殘酷的競爭職場中脫穎而出。選擇公司內最成功、最有能力的人當良師，就像站在巨人的肩膀上看世界，眼界會比同年齡的人寬闊許多。現在競爭這麼激烈，如果只會埋頭苦幹，站在自己的角度看事情，不能站在更高的角度看問題，那麼你的發展也就十分有限，

不會達到一個很高的境界。

三十二歲的富蘭德林諮詢公司總經理劉芳榮，自從一九九六年步入職場後，就開始建立他的良師俱樂部。由於二十五歲就隻身到中國創業，劉芳榮更懂得人脈的珍貴。他說：「我隨時都有十～二十個的長者組成我的良師俱樂部，在不同的階段會有所增減。」

他的第一個良師，就是如今知名的旺旺集團董事長蔡衍明。剛進旺旺食品時，劉芳榮只是蔡衍明的特別助理，他並沒有因為蔡衍明是老闆而保持距離，反而主動接近他心目中的良師。從早餐開始，會客、談判、視察，甚至晚上的應酬，他都在旁邊不停地記錄、學習。每天十幾個小時的工作，從生活細節到談話技巧，劉芳榮都一一看在眼裏，記在心裏。兩年內，他跟著蔡衍明見到幾百位政商名流。劉芳榮後來自己創業時，這些人都成為他的重要人脈和資訊來源。劉芳榮的「良師俱樂部」除了上司，也包括公司以外的專業人士。一位內地外經貿部退休的司長，就是劉芳榮非常重要的良師。這個長者不僅教會劉芳榮解讀中國法律條文背後的含意，甚至還將自己的人脈交給劉芳榮。不同的良師，讓劉芳榮擴大了視野，增長了

見識。蔡衍明教會他的是生意場上談判的技巧，但是跟著前海基會秘書長焦仁和，他學到的是不同的人際互動技巧，甚至包括服裝禮儀。甚至有一次，焦仁和實在無法忍受劉芳榮總是穿黑西裝配白襪子，便直言不諱地出言糾正他穿著的品味：「穿西裝時，應該配同色系的襪子！」劉芳榮學到了一種更精緻、更優雅的人際關係。

第三次投胎

中經合創投資公司總經理丁學文的第一個工作，是一位美商管理顧問公司的職員。當時公司的總經理查理斯脾氣暴躁，時常罵人，但是專業技術很強。當別人都躲著老闆時，丁學文卻把他當老師，不懂就直接跑去問他，甚至爭取成為他的特別助理。

當了總經理的徒弟，薪水沒增加，工作量反而倍增。當別人休假時，他卻必須加班，甚至睡在公司裏。丁學文辛苦得來的收穫就是，可以跟著老闆到第一線，學習面對大客戶的方法。跟在總經理旁看事情，視野馬上變得不一樣。選對良師，讓他快速地跳躍成長。

台南鄉下農家出身的德勤管理顧問公司總裁顏漏有，四十八歲就躋身年薪千萬元水準的高薪俱樂部。沒有家世背景，除了憑藉自己的能力外，他也將良師俱樂部視為他最大的資源。人生有三次投胎的機會，第一次投胎是出生；第二次是結婚；第三次是跟對人。選對良師，你就有了重新投胎的機會。顏漏有的「良師俱樂部」中，既有他的上司，也有公司以外的同業高層人員，比如現任惠普中國區副總裁的余振忠。他說，到了像我這樣的年紀，就該去找在不同領域工作的同輩，向他們學習，才能給我不同的視野。

良師不會主動找上門，想要找到良師，必須有向上攀登的進取心。

艾森豪學習康納將軍，最終躍為總統。前美國總統艾森豪在西點軍校讀書時，成績平平，一點也不出眾，第一次世界大戰時，他的同學都已在法德邊界參加實戰，並因為立下戰功而快速升官，但是他卻仍在內勤單位擔任默默無聞的參謀職務。艾森豪不甘於平淡，他認為，要想繼續在軍中發展，只有找到良師才能勝過他的同學。最後他找到了備受尊敬的指揮官福克斯・康納將軍，並請求調到這位將軍

麾下，將這位將軍當成師父學習。艾森豪威爾很幸運，康納將軍正好有意培養接班人，兩人因此成為師徒，關係猶如父子。艾森豪雖然沒有戰功，卻得到良師的二十年功力及人脈，從此展開輝煌的政治生涯。如果沒有這位良師，艾森豪不可能最後登上美國總統寶座，「這一切都要歸功於我的精神導師康納將軍。」艾森豪在自傳中寫到。

請良師入門

積極主動，抱著一顆誠懇學習的心。大膽去敲老闆的門，多瞭解老闆。

認定良師之後，該如何邀請他參加你的「俱樂部」呢？不要太刻意。積極主動，抱著一顆誠懇學習的心，良師的大門很容易就可以敲開。如果只是為了攀關係、拍馬屁，人生經驗豐富的良師馬上就會察覺，反而會適得其反。培養、尋找自己的良師，不能刻意去接觸，這樣就會變調。平常培養實力，當機會到來的時候就要爭取，讓主管看得到你，自然就有機會成為師徒關係。師父找徒弟，都會找與自己相像的人，每個人都會找過去的影子。很多年輕的職員都不敢去敲老闆的門，只

會埋頭苦幹。其實多瞭解老闆、多問問題，很多師徒關係就會自然建立起來。對於很多年輕人來說，往往會殘留學院式的尊嚴、堅持，不容易放下身段，但是也相對損失了很多建立關係的機會。

良師不一定與你契合，但不要設限，可能有意外收穫。

良師一定是與你契合的人嗎？其實不一定。如果對方是很優秀的人，你可以學到很多東西，即使他是人人討厭的人，也不要急著避開他。你可以想想別人為什麼不喜歡他，或許你就可以學到很多東西。不給自己太多的限制，有時反而可能有意外的收穫！

如果你沒有家世背景，你一直都在埋頭苦幹，你應該把握第三次投胎的機會，建立一個量身訂做的良師俱樂部。從巨人的肩上重新出發，邁出成功的第一步。

人生就像爬山，當你登上一個山頭，你以為你已經到了峰頂，但事實上，你才走了十分之一的路。如果你沒有找到好的嚮導，各種天候狀況、風雪等不可測因素，隨時會把你推到山腳下。當你在雪地裏踽踽獨行的時候，誰是你前導的明燈，你應該馬上想清楚這件事情！

注重禮節

除了有效運用厚厚的名片簿，幫助我們成就事業之外，建立人際網路還有另一方面值得我們注意，就是你的「表達方式」，或者更準確地說，你充當「媒人」的基本禮節。

聽起來似乎有些古板，但具備好禮貌與基本禮節，的確是建立人際網路過程中極其重要的兩項細節，但非常不幸，這點在日常生活中也是最容易被忽略的。我們訓練公司新員工（甚至自己的子女）如何勝任手頭的工作時，有關禮節的課程應是強調的重點。

我們大概都有過和不懂禮貌之人相處的不愉快經歷吧！不論在商場上，或是處理人際關係上，我們都必須注意應有的禮節，否則個人或公司的聲譽，將因此遭受損傷。

服務於瑪鹿亞公司的蒙塞瑞特三世曾說：「從小我所受的教育，就是教我們要尊重別人，因此我一直秉持這樣的態度待人。交朋友不是戲法或耍花招，只要你

善待別人，大多數時候別人也會以同樣方式回報你。」許多公關專家也都同意，尊重別人，即是溝通的基石。我們都必須增加有關如何建立人際網路的知識。不論你的性別是男是女，只要有機會與人相處，培養這方面的技巧便是日後有效溝通的基石。而且建立、維持並培養一個不斷成長、交迭且流暢的交際圈，你必須同時著重方式與內容。

要有美德

想要在個人與工作上成功地建立人際關係，你的言行舉止必須反映某些價值觀。如果你想運用既有人際關係來建立事業，許多傳統特質，包括強烈道德感與廉潔的操守都必須具備。現今的企業文化皆再三強調道德、正直與誠實，而許多年逾不惑的中年人也為這些基本價值的淪喪感到憂心。

亞里斯多德曾說，真正的美德不可沒有實用的智慧，而實用的智慧也不可沒有美德。

一位哲學家帶著他的一群學生去漫遊世界。十年間，他們遊歷了所有的國家，

拜訪了所有有學問的人，現在他們回來了，個個都滿腹經綸。在進城之前，哲學家在郊外的一片草地上坐了下來，對他的學生說：「十年遊歷，你們都已是飽學之士，現在學業就要結束了，我們上最後一課吧！」

弟子們圍著哲學家坐了下來。哲學家問：現在我們坐在什麼地方？弟子們答，現在我們坐在曠野裏。哲學家又問，曠野裏長著什麼？弟子們說，曠野裏長滿雜草。哲學家說：對，曠野裏長滿雜草。現在我想知道的是，如何除掉這些雜草。弟子們非常驚愕，他們都沒有想到，一直在探討人生奧妙的哲學家，最後一課問的竟是這麼簡單的一個問題。

一個弟子首先開口，說：「老師，只要有鏟子就夠了。」哲學家點點頭。

另一個弟子接著說：「用火燒也是很好的一種辦法。」哲學家微笑了一下，示意下一位。

第三個弟子說：「撒上石灰就會除掉所有的雜草。」

接著講的是第四個弟子，他說：「斬草除根，只要把根挖出來就行了。」

等弟子們都講完了，哲學家站了起來，說：「課就上到這裏了，你們回去

後，按照各自的方法除去一片雜草，沒除掉的，一年後，再來相聚。」

一年後，他們都來了，不過原來相聚的地方已不再是雜草叢生，它變成了一片長滿穀子的莊稼地。弟子們坐下來，等待哲學家的到來，可是哲學家始終沒有來。數年後，哲學家去世，弟子們在整理他的言論時，私自在書的最後補了一章：要想除掉曠野裏的雜草，方法只有一種，那就是在上面種上莊稼。同樣，要想讓靈魂無紛擾，惟一的方法就是用美德去佔據它。

讀了這個故事，誰能不佩服哲學家的偉大呢？試想，人生如果缺了這最後一課，即使學富五車又有多少意義呢！無事就會生非，沒有道德信念的靈魂，自然就會成為邪惡侵擾的對象。但是，要是有了美德，人生就會因之而發生改觀，即使心生雜草，也可以被美德抑制住。人們可以容忍一個沒有智慧的人，但不能夠與一個沒有美德的人為伍，因為後者更多的代表了一個人內在的東西。

傳遞下去

要建立成功的人際關係，你應該向接力賽跑選手學習。長途接力賽是田徑賽項

目中最刺激的一項比賽，因為獲勝並不只是依賴賽跑選手們的速度，還有他們傳棒的技巧。很多時候，勝利者決定於平順和傳接的速度，往往一個傳遞失誤就會造成全隊的功虧一簣。

同樣的道理適用於生活中。當有人對你說了一些好話，或說了些關於你的好話，你知道你會有什麼感覺——它會提起你的精神，並且讓你覺得很舒服。如果你養成傳遞這種習慣，為他們所說所做的事情誠摯地稱讚他們，感謝他們，你會驚喜將要發生的效應：你對自己的感覺更好了，別人也高興了，並且會建立或強化了成功的人際關係。

蓋瑞舉例說：我太太和我所屬的鄉村俱樂部真的很棒，有兩個美麗的高爾夫球場，和絕佳的用餐場所。然而，他最主要的吸引力在於全體員工——從邁爾斯這個主管開始，他們對待我們像失散多年的兄弟姐妹一般，並且讓我們清楚地感覺到，他們永遠會很高興見到我們。他們會給我們留下這樣的印象，是因為這是真的，會員感覺到親人的感覺。

第八節 世事洞明，人情練達

面對複雜多變的社會和人際關係，我們該如何與同事、親朋好友或周圍的人建立良好的關係呢？這就要靠你的ＥＱ和圓融的處世哲學了。

內方外圓

中國人講求「內方外圓」，這種為人處事的哲學是一種內省的態度。這不是世故或者老謀深算。事實上，「圓」是為了減少阻力，也是一種方法，而「方」為立世之本，也是原則。

我們在待人處事上心中都要有一把尺，過與不及都不好。當你為了成就絢麗的人生，所以經常需要許多合理的妥協，便是上文中所說的「圓」；當然我們不能違背良心、違背道德，以及違背自己的原則，這就是「方」。若你不學會如何以「圓」處世，往往會讓你在人生的道路上碰得焦頭爛額；而不適當的以「方」立

世，你就容易被人牽著鼻子走。

當然，即使你是一個圓融處事的人，你也不可能事事都得到每個人的理解和贊許。不過重要的是你要認清自己的價值，在得不到理解和贊許時也無須感到沮喪。你要視反對意見為本來就有的現象，因為生活在這個世界上的每一個人都對世事有自己的看法，這樣便不會因別人的誤解而失意。

機器運轉需要加潤滑劑，搞好人際關係有時也需加潤滑劑。「糊塗」，就是人生中極好的潤滑劑。人生不如意之事十之八九，凡事都不會盡如人意，若能不事事計較，讓自己「難得糊塗」一下，那麼你的人生將會更加自在而快樂。

八面玲瓏之人要讓自己變成一個很體貼的人，一定要懂得如何幫對方維持面子，換句話說，你要會替對方所犯的錯誤找藉口、找臺階下。這種技巧很重要，對從商和開店的人來說尤是，如果應用得好，必定有助於增進人際關係的和諧。

有時候，激烈的爭論可能會使人一時喪失理智，甚至大動干戈。到了這一步雙方免不了成為終生的敵人。因此即使你確定對方是錯的，也不必硬是要掀對方的底，這樣做只是徒增敵人罷了，並不能使你更受歡迎。

做一個八面玲瓏的人並不是指處處迎合別人，而是要懂得針對每一個人的個性對症下藥，對惡人有對惡人的方式，對好人有對好人的方式，盲目的奉承不但會使自己痛苦，而且事情也不見得如你想像的順利，那麼，你該怎麼做才能真正成為一個快樂又處處受人歡迎的人呢？下面為你介紹幾則技巧，讓你不用在人際關係上跌跌撞撞，待人處事的功力將會呈倍數增加。

社會就像一張網，縱橫交錯結成這張網的，就是複雜的人際關係。惟有能駕馭人與人之間的各種關係，才能享受這張網所帶來的便利。當良好的人際關係成為個人無形資產的時候，不僅能搭起通往成功的橋樑，更有助於擁有幸福的人生。

與「小人」相處的藝術

與人來往的過程中免不了會遇到這樣的人物：當面奉承你，轉過身去卻對你嗤之以鼻；為了取得你的喝彩，事先就先給你掌聲；為了取得你的「庇護」，他整天低聲下氣地圍著你打轉；對你心懷不滿，但當著面總是笑臉迎人，背後卻到處搬弄是非……這類人物有著兩張面孔和雙重人格，要與這樣的人打交道，你必然會感

到艱難。

面對人際關係，我們都會期待比較單純的交往關係，然而當你一旦遇上了諸如圓滑、世故、兩面人、放冷箭之類的「暗礁」，又怎麼可能立即當場撕破臉和對方絕交呢？所以，僅僅對這類人士感到厭惡並且努力迴避是絕對不夠的，你應該要學會八面玲瓏之計。

那些比較圓滑、世故的人，甚至包括那些吹牛拍馬屁、兩種面孔的人，都是一些善於保護自己的人。其實善於保護自己並不是什麼錯，問題是把自己之外的人全都變成了防範、算計的對象，所採用的自我保護手段又違背了真誠友善、坦誠相見的原則，就會使自我保護變成了損害正常交往關係的行為。

面對這種情形如果直接、不留餘地的回絕，只會把關係搞得更加複雜化，自然傷害了既有的人際關係。事實上，面對這樣的人、這樣的行為，要把不正當的行為與行為當事人區別開來，凡事對事不對人。對其行為要「厭」、要「惡」，但對其人要「尊」、要「愛」，這是處理複雜人際關係時的重要原則，只有這麼做你才能保持八面玲瓏的人際關係，否則將會使自己陷入「孤家寡人」的境地。

俗話說，君子坦蕩蕩，小人常戚戚。一個強者，是為自己的目標而活著；只有弱者，才為周圍的議論所左右。對於小人背後搬弄是非的不道德行為，不能遷就，但行之有效的辦法是——尊重對方，以朋友式的態度，進行善意的規勸；同時，巧妙地引導對方獲得正確的做人的方法。但如果對方搬弄是非惡習已成為性格特徵，那就乾脆不加理睬，「走自己的路，讓別人去說吧！」千萬不可一聽到搬弄是非的話，就立即去找人對質。這樣會使大家都很難堪，而且解決不了根本問題。更不要一時性急，去找那人「算帳」，打起來那就更難堪。這樣也會使大家把你和他等同起來，看成沒涵養的人。

千萬不要用「以德報怨」的心態去面對小人，固然立意良好，但反而讓惡人有恃無恐。真正會處世的人其實都有一個好習慣，他們會堅持一定的原則，以德報德，以怨報怨，絕不會一廂情願地認為凡事以德對待一定可以得到對方的善意回應。

跟貪小便宜者交往的藝術

現實社會中，不管是誰，都喜歡和那些豪爽熱情、開朗大方的人往來，而不太願意跟貪小便宜的人打交道。這種心理無可非議。然而，都這樣就會出現一些問題。對自己，縮小了交朋結友的範圍；貪小便宜者則陷入孤獨，這樣對工作和事業也都不利。社會心理學告訴我們，一個人的行為與動機並非是一對一的，它們之間存在著錯綜複雜的關係：同一動機可以產生不同的行為；同樣，同一行為亦可能由不同動機所引起。「貪小便宜」是行為表現，並不完全是渾身沾滿銅臭味的利己的反映；即使是利己主義者，亦非不可救藥者，況且各人表現的程度不盡相同。

有一種貪小便宜的人，他們的所作所為反映著其生活觀念。這種人，往往具有比較特殊的生活閱歷，在生活中受過磨難，生活觀常常表現為以「自我」為中心。

與他們打交道，採取一般化的說教方法，是無法解決其觀念形態的問題的，應真誠地與之相處，用自己的博大胸懷去感化他們。在工作、學習、生活中，真誠地、無微不至地去幫助他們，使他們在自己的行動中得到感化。比如，外出時，熱情地拉著他，坐車、吃飯、看電影、逛公園、照相爭著付錢，而對他從不表現出一點兒不滿和鄙視。平時，又總是講一些他所欽佩的人的恢宏大度，不計個人得失的事例，使他逐漸意識到自己的不足。

貪小便宜不管源於哪一種心理狀態，都是冰凍三尺，非一日之寒。要他們一下改掉並不現實，只能潛移默化，而且允許出現反覆。如果一個人去感化猶嫌力量不足，可動員幾個要好的朋友來共同感化他們。當他真正理解你一顆真誠的心後，他是會永遠感激你的，由此所建立起來的友誼，也一定是純潔的、牢固的。

與性情急躁者交往的藝術

性情急躁的人，最大的特點是容易興奮，容易發怒，自我控制力差，動不動就發火，甚至不惜與人爭鬥。怎樣與這種人相處呢？

據說，歌德有一天在公園裏散步時，迎面碰到一位曾經對他的作品提出尖銳批評的批評家。那位批評家性情急躁，對歌德很不禮貌，劈頭就嚷：「我從來不給

傻子讓路！」歌德面對著這樣的不善，則冷靜而寬宏大量地說：「而我則正相反」，邊說邊滿臉堆笑地讓在一旁，避免了一場無謂的爭吵。批評家自討沒趣，尷尬地「悻悻」而去。

首次獲得諾貝爾文學獎的范特霍夫，提出碳原子新理論之後，遭到德國有機化學家柯爾比的強烈反對。范特霍夫當眾表示：「柯爾比老先生的宏論，從頭到尾沒有推翻我研究出來的鐵一般的事實。」柯爾比聽到此話，怒氣衝天，不遠千里趕到荷蘭找范特霍夫辯論。當柯爾比怒氣沖沖踏進范特霍夫的辦公室時，范特霍夫熱情地接待，冷靜而謙遜地闡述自己的觀點，結果使柯爾比消除了誤解。兩位科學家從此「化敵為友」，欣然攜手合作。

這兩則故事告訴我們，應如何對待性情急躁者的「急躁」與「粗暴」。

首先，要寬宏大量，一笑了之。遇上性情急躁的人向你冒犯時，你一定得保持頭腦冷靜，置之不理，或者瞪他一眼，或者一笑了之。最好的是泰然處之的微笑，它不僅可以使自己擺脫尷尬的局面，而且還可以向對方潑冷水，使對方欲進不得，避免事態發展。只要你有寬闊的胸懷，你就會對別人的態度不加計較，對自己的行

為勇於承擔責任，做到任勞任怨。他吵，你不吵；他凶，你不凶；甚至他罵，你不罵，這樣就吵不起來了。「宰相肚裏能撐船」，你只要有溫和的態度，有寬廣的胸懷，有寬宏的「海量」，就會使本來發火的對方，火氣消滅，自感沒趣，其次，要暫時忍讓，避開鋒芒。當性情急躁者向你冒犯時，如果你自己也是個急躁的人，急躁碰上急躁，針尖對麥芒，很容易著火。你應當壓住心頭的火，暫時忍讓，避開鋒芒。待對方鋒芒鈍減時，再充分地、輕言細語地說服對方，也可講事實，說道理，消除對方的誤會。性情急躁的人，當他著火時，最容易向周圍的一切人「發洩」。這時你就要遷就一下。如果你與他計較短長，就會成為他的「出氣筒」。所以，你一定得察言觀色，揣摩對方心理狀態，先退一步，然後待他情緒穩定下來時，再進兩步，談你所要談的一切。

與性格孤僻者交往的藝術

現實生活中，有這樣一種人，他們感情內向，整日禁錮在鬱鬱寡歡、焦躁煩惱的樊籠裏，心境陰沈，缺乏生活樂趣。這種人，我們稱之為「性格孤僻的人」。

與這種人打交道不容易，必須掌握一些訣竅。

一棵參天大樹，不可能有兩片完全相同的樹葉；芸芸眾生的人間，也不可能有兩個性格完全相同的人。每個人的性格，都是他的全部生活史的縮影。因此，我們要與性格孤僻的人進行成功的交往，重要的是必須瞭解其所以孤僻的原因，以便採用合適的方法。

不管性情孤僻者的孤僻源於什麼原因，我們與之相處，都應以給予溫暖和體貼為基準，讓他們通過友誼體驗人間的溫暖和生活的樂趣。因此，在學習、工作和生活的細節上，我們要多為他們做一些實實在在的事，尤其是當他們遇上自身難以克服的困難時，更應主動地站出來，著實盡力。實踐說明，只有友誼的溫暖，才能消融他們心中的冰霜。

性格孤僻的人，一般不愛說話。有時候，儘管他們對某一事情特別關心，也不願主動開口。不談話，是難以交流思想感情的。因此，與之相處交談時，既要主動，還要善於選擇話題。一般來說，只要話的內容觸到他們的興奮點，他們是會開口的。

性格孤僻的人，往往喜歡抓住談話中的細微環節，進行聯想，胡亂猜疑。一句非常普通的話，有時也會引起他們不高興，並久久銘刻於心，以至產生很深的心理隔閡。而這種隔閡，他們又不直接表露，而是以一種微妙的形式加以反映，使當事人難以察覺。因此，與之交談，要特別留神，遣詞造句都要細加斟酌，疏忽大意是不行的。

在與性情孤僻的人有了初步的交往後，我們應該引導他們參加一些團體活動，促使他們從孤獨的小圈子中解脫出來，使之投入社會的懷抱，變得開朗起來。在活動的內容和形式上，應考慮他們的特點，選擇一些輕鬆愉快的主題。比如：聽聽輕音樂、唱唱卡拉ＯＫ、看看喜劇、體育比賽、遊覽名勝古跡等。

孤僻的性格，並非一朝一夕形成的，有的已經形成了生活方式，很難改變。你要同他們打交道，有時難免會遭到冷遇，甚至不愉快。所以，必須耐心，當他的心鎖被你開啟後，你們的友誼就將與日俱增，還很可能成為摯友。

與心胸狹窄者交往的藝術

《三國演義》中詳細敘述了周瑜與諸葛亮的故事。周瑜是東吳的都督，諸葛亮是西蜀的丞相。他們為了抵抗曹操百萬大軍的南下，共商國事。周瑜見諸葛亮處處高自己一籌，便妒火中燒，屢次加害；諸葛亮則處處從聯合抗曹的大局出發，不計較個人的得失與榮辱，進而保證了吳蜀的軍事聯盟，打敗了曹操的八十三萬大軍，為自己的事業奠定了興旺發達的基礎。面對諸葛亮的神機妙算、總比自己棋高一招，周瑜最終因妒忌吐血而死，臨死還發出「既生瑜，何生亮」的哀歎，殊不知「天外有天，人外有人」的古訓嗎？

故事中的周瑜，就是一個心胸狹窄的人。他容不得人，心裏也容不下事。心胸狹窄的人，對比自己強的人嫉妒，對不如自己的人又看不起。他們生性多疑，一點小事也常常折騰得吃不好睡不著。

與心胸狹窄的人相處，必須要有「宰相肚裏能撐船」的氣量和韓信甘受「胯下之辱」的忍者精神。與心胸狹窄的人相處，肯定會經常發生摩擦，如果缺乏氣

量，與之斤斤計較，就無法相處。相反的，如果氣量大度，胸懷寬闊，就會使那些不愉快的事化為烏有。同時，對心胸狹窄的朋友也是個教育。

高爾基說過：「一個人追求的目標越高，他的才力就發展得越快。」才力當然就包含著氣量。諸葛亮之所以能對周瑜的嫉妒和迫害毫不計較，是因為他目光高遠，時時想的是如何聯合東吳打敗曹操，保衛蜀國。所以，他能從個人的恩怨中解脫出來，重事業，輕小侮。朋友之間也應如此。如果對方因心胸狹窄，做出對不起自己的事，我們應從有利於工作和友情的大局出發，能諒解的就諒解，能忍讓的就忍讓，不應為個人而斤斤計較，耿耿於懷。

忍讓，並不意味著放棄原則。一個人心胸狹窄的重要原因，就是由於他習慣於孤立地、靜止地看問題，因而目光短淺，不能認識事物的多樣性。比如周瑜，他只看到諸葛亮的洪才偉略、如果幫助劉備強大起來，將威脅到東吳稱霸，而沒有認識到面臨曹操的百萬大軍，如果嫉賢妒能，破壞了蜀吳聯盟，只能被曹軍個個擊破。諸葛亮卻清醒地認識到這一點，才一方面「大人不計小人過」，另一方面巧妙地與周瑜進行周旋，使他破壞聯盟的計畫無法實現。由此可見，心胸狹窄的人極容易

錯誤地估計形勢，錯誤地對待人和事。因此，對心胸狹窄的人忍讓，絕不意味著遷就他的錯誤。對朋友的心胸狹窄應該忍讓，但對他的錯誤思想和行為不能遷就。

與傲氣者交往的藝術

在人際交往中，有些人以自己的地位、學識、年齡等優勢而表現出一種傲氣，或者極端地蔑視他人，或者大肆地攻擊他人，有的甚至還肆意地侮辱他人。這種人的行為勢必給別人帶來不愉快或者嚴重地影響他人的情緒，因此，必須予以抑制而不能讓其惡性地發展。

抓住痛處，挫其傲氣

一九五九年，美國副總統尼克森赴蘇聯主持美國展覽會。在尼克森赴蘇之前不久，美國國會通過了一項關於被奴役國家的決議。蘇聯領導人赫魯雪夫對此極端不滿。因此，當尼克森與他會晤時，他極端傲慢無禮，表現出一種從未有過的傲氣，他十分氣憤而又極端蔑視地對尼克森說：「我很不瞭解你們國會在這麼一次重要

的國事訪問前夕，通過這種決議。這使我想起了俄國農民的一句諺語，『不要在茅房吃飯』，你們這個決議臭得像剛拉下來的馬糞，沒有比這馬糞更臭的東西了。」對這些傲慢無禮的言辭，尼克森毫不客氣地回敬道：「我想主席先生大概搞錯了，比馬糞還臭的東西是有的，那就是豬糞！」赫魯雪夫聽後，傲氣大挫，不由得臉上泛起了一陣羞澀的紅暈。

原來他年輕時當過豬官，毫無疑義聞過豬糞的氣味，因此機智的尼克森立刻抓住赫魯雪夫這一痛處，使赫魯雪夫自討了沒趣，自然傲氣也就煙消雲散了。

誠然，我們運用這種方法對於傲氣者的痛處一定要抓準，而且傲氣者的這種痛處必須是客觀存在，而又是相當一部分人知道的。只有這樣，才能動搖其傲氣的根基而使之反思自己的行為，進而收斂自己的傲氣。

抓住弱點，攻其傲氣

早年間任英國駐日公使的巴克斯是個傲氣十足的人，他在與日本外務大臣寺島宗常和陸軍大臣西鄉南州打交道時，常常表現出對他們不屑一顧的神態，並且還不

時地嘲諷寺島宗常和西鄉南州。但是每當他碰到棘手的事情時，他總喜歡說一句話：「等我和法國公使談了之後再回答吧！」寺島宗常和西鄉南州商量決定抓住這句話攻擊一下巴克斯，使其改變這種傲氣十足的行為。一天，西鄉南州故意問巴克斯：「我很冒昧地問你一件事，英國到底是不是法國的屬國呢？」

巴克斯聽後又挺起胸膛傲慢無禮地回答說：「你這種說法太荒唐了。如果你是日本陸軍大臣的話，那麼完全應該知道英國不是法國的屬國，英國是世界最偉大的立憲君主國，甚至也不能和德意志共和國相提並論！」

西鄉南州冷靜地說：「我以前也認為英國是個強大的獨立國，現在我卻不這樣認為了。」

巴克斯憤怒地質問道：「為什麼？」

西鄉南州從容地微笑著說：「其實也沒有什麼特別的事，只是因為每當我們代表政府和你談論到國際上的問題時，你總是說等你和法國公使討論後再回答。如果英國是個獨立國的話，那麼為啥要看法國的臉色行事呢？這麼看來，英國不是法國的附屬國又是什麼呢？」

傲氣十足的巴克斯立刻被西鄉南州這番話問得啞口無言，從此以後，他們互相討論問題時，巴克斯再也不敢傲氣十足了。

西鄉南州抓住其語言上的弱點所展開的攻勢取得令人滿意的效果。毫無疑義，任何人都不可能是十全十美的，都難免有自己的弱點，而傲氣者一般都未發現自己的弱點，而一旦讓別人抓住其弱點攻擊其傲氣，使其看到自己的弱點，因此也就瓦解了其傲氣的資本。

巧設難點，抑其傲氣

一些人自恃知識豐富，閱歷廣泛，因而目空一切，壓根兒就瞧不起別人，表現出一股不可一世的姿態。對付這種傲氣者只要巧妙地設置一個難題，就可打擊其傲氣。這是因為不管其知識多麼豐富，閱歷多麼廣泛，然而在這個大千世界裏畢竟是有限的，而其一旦發現自己也存在著知識缺陷，其傲氣自然就會煙飛灰散了。在一次國際會議期間，一位西方外交官非常傲慢地對某國一位代表提出了一個問題：「閣下在西方逗留了一段時間，不知是否對西方有了一點開明的認識。」顯然，

這位外交官是以傲慢的態度嘲笑該國代表。該國代表淡然一笑回答道：「我是在西方接受教育的，四十前我在巴黎受過高等教育，我對西方的瞭解可能比你少不了多少。現在請問你對東方瞭解多少？」而對這個代表的發問，那位外交官茫然不知所措，滿臉窘態，其傲氣蕩然無存了。

巧設難題抑制傲氣者，所設置的難題一定要是對方無法回答的問題，因為只有這樣，才能暴露對方的無知或者缺陷，進而挫其傲氣。如果設置的問題對方能夠回答，這樣不但不會挫其傲氣，相反地更會助長其傲氣而使自己處於更難堪的境地。

第九節 社交禮儀

不論是在公共場所，還是私人聚會，只要你與人進行交往，你的衣著打扮、言談舉止等外在形象就會展現在他人的眼裏，並留下深刻印象。可以說，一個人的外在形象的好壞，直接關係到他社交活動的成功與失敗。

養成良好的習慣

在文明社會，風度猶如人的名片。美不僅是自然屬性和天賦的驕傲，也來源於人自身的造就。因此，在注重外表儀容儀態的同時，也不可忽視很小的衛生細節。具體地說就是：西瓜芝麻同樣得抓。尤其是青少年朋友，從講衛生做起，才能更好地提高自身修養，展示多彩青春。

衛生是儀表美的要素之一，是保持自身良好形象的基礎和前提。一個人，無論其長相多好，衣服如何華貴，如果滿面塵灰，頭髮淩亂不堪，衣衫髒汙，無論如何

也不會給人以美的感受。因此，一個人必須養成良好的衛生習慣。

養成良好的衛生習慣，是家長和老師從小就教導我們的：起床洗臉、睡前洗腳、早晚刷牙、飯後漱口、經常洗頭洗澡、梳理頭髮、勤換洗衣服，特別注意領、袖口要乾淨。除注意個人衛生外，還要講究公共衛生：不隨地吐痰；不亂扔果皮、紙屑；在外出遊玩時要多準備些塑膠袋，將丟棄的雜物帶走或扔入垃圾箱內。要懂得維護公共場合的整潔。另外，在人際交往方面，要注意以下幾點：

保持口腔衛生。參加聚會或同學聯歡前，要注意除去口腔異味。口腔異味原因很多，如齲齒、消化不良或吃了刺激性食品。因此，在參加公共活動前不要吃蔥蒜之類的含有刺激性的食品。若吃了，則通過刷牙或其他方式消除異味。

說話時不要對人飛沫。有的人說話時不注意，唾液亂飛，這樣做不僅對人不禮貌，也不衛生。要注意保持一定距離和說話的方式。

不要在人前清理衛生。比如剔牙齒、挖耳朵、修指甲等，這些都應避開他人進行。有的人不分場合，包括在別人家裏做客，習慣性地邊說話邊掏耳朵、搔頭發等。這樣做不僅不雅觀，也是對別人的不尊重。

還有一點是避免發出不受人歡迎的聲音。比如打噴嚏、咳嗽等。若不能忍耐，則需採取一定措施。比如說用手帕捂住口鼻，臉側向一邊，儘量避免發出大聲響。另外，注意不要在人前伸懶腰、打呵欠等，這些都會給人留下不文明的印象。

仔細想一想，你在哪些地方沒做好呢？有位名人說：做大事應從小處做起。一屋不掃，何以掃天下？朋友，千萬別忽視了這些細節。只要能做到整潔有禮貌地出現在眾人面前，向別人展示一個美好的自我，你會擁有更多成功機遇的。

關於名片的禮儀

一、態度要恭敬誠懇，表現對別人的尊重。

二、接過名片後應仔細看一遍，絕不可急於收藏，更不能隨便塞進衣袋。

三、對不認識的字或不明白的地方可以當面請教，對方一定會感到高興。

四、如果同時與許多陌生人交換名片，可將名片依座次順序排列，便於記住各人的名字。

五、把名片放在桌上時，不可壓上別的東西。

六、自己忘記帶名片，又想得到對方的名片，應該說：「我忘帶名片了，請給我一張，明天我再給您寄上。」

名片的用途十分廣泛。最主要的是用作自我介紹，也可隨贈送鮮花或禮物，以及發送介紹信、致謝信、邀請信、慰問信時使用。在名片上面還可以留下簡短附言。

按照西方社交禮儀，遞送名片應注意到，一個男子去訪問一個家庭時，若想送名片，應分別給男、女主人各一張，再給這個家庭中超過十八歲的女性一張，但決不在同一個地方留下三張以上名片。

一個女子去別人家作客，若想送名片，應給這個家庭中超過十八歲的女性每人一張，但不應給男子名片。

如果拜訪人事先未約好，也不想受到接見，只想表示一下敬意，可以把名片遞給任何來開門的人，請他轉交主人。若主人親自開門並邀請進去，也只應稍坐片刻。名片應放在桌上，不可直接遞到女主人手裏。

成功講座79

人脈存摺

Social Account Book

海鴿文化出版圖書有限公司
Seadove Publishing Company Ltd.,

作者　何耀琴、陳麗
美術構成　騾賴耙工作室
封面設計　斐類設計工作室
發行人　羅清維
企畫執行　吳國鏞
責任行政　陳淑貞

出版　海鴿文化出版圖書有限公司
出版登記　行政院新聞局局版北市業字第780號
發行部　台北市信義區林口街54-4號1樓
電話　02-27273008
傳真　02-27270603
e - mail　seadove.book@msa.hinet.net

總經銷　創智文化有限公司
地址　台北縣中和市橋和路110號2樓
電話　02-22421566
傳真　02-22422922

香港總經銷　時代文化有限公司
地址　香港九龍旺角塘尾道64號
龍駒企業大廈3樓C1
電話　(852)3165-1105
傳真　(852)2381-9888

製版印刷　世和印製企業有限公司

出版日期　2004年11月1日　一版一刷
2005年06月1日　一版十五刷
特價　199元
郵政劃撥　18989626 戶名：海鴿文化出版圖書有限公司

本書繁體中文版權由中國紡織出版社授權

國家圖書館出版品預行編目資料

人脈存折／何耀琴、陳麗作 — 一版，臺北市 ： 海鴿文化，2004〔民93〕
面 ； 公分.－－ （成功講座 ； 79）

ISBN 986-7347-03-X（平裝）

1. 人際關係　2. 成功法

177.3　　93018713

Seadove

Seadove